KB171607

미술관에서 발견한 돈 버는 이야기2

-명화 속에 숨겨진 재테크 비법

미술관에서 발견한 돈 버는 이야기 2

발 행 | 2024년 1월8일
저 자 | 허정혁
펴낸이 | 한건희
펴낸곳 | 주식회사 부크크
출판사등록 | 2014.07.15(제2014-16호)
주 소 | 서울특별시 금천구 가산디지털1로 119 SK 트윈타워 A동305호
전 화 | 1670-8316
이메일 | info@bookk.co.kr

ISBN | 979-11-410-6394-8

www.bookk.co.kr

미술관에서 발견한 돈 버는 이야기2

-명화 속에 숨겨진 재테크 비법

허정혁 지음

작가 소개

허정혁 (許正赫)

집안 내력대로 어려서부터 수학이나 과학과목은 싫어했고 소설과 역사를 좋아하여 국문과나 사학과에 가서 소설가나 역사학자가 되려고 했었지만 결국 아버지(서울대 기계공학과 졸업)와 같이 사회와 타협(?)하며 살기 위해 고려대에서 경제학을 전공하였고, 순전히 운(?)으로 영국 외무성 장학금을 받아 경영전략을 전공으로 런던비즈니스스쿨(LBS)에서 MBA 과정을 공부했다. 용산 미8군에서 카투사로 군대생활을 마쳤고, 삼성전자 전략마케팅실, CJ주식회사 전략기획실, 동부그룹(現 DB그룹) 해외전략실 등에서 근무했으며, 2023년부터는 30여 년에 걸친 길다면 길고 짧다면 짧은 직장 생활을 뒤로 하고 독서와 집필에 전념 중이다. 지금껏 총 18권의 저서를 출판했으며, 평생 총 100권의 책을 쓰기 위해 오늘도 꾸준히 노력한다.

CONTENTS

들어가며

미국 팝 아트의 거장인 'Andy Warhol(앤디 워홀)'이 작품의 주제에 대해 고민하다가 뾰족한 아이디어가 떠오르지 않자 주변 친구들에게 의견을 구했다. 하지만 귀가 번쩍 뜨이는 의견이 없어 의기소침해 있던 중, 한 친구가 그에게 다가와 정곡을 찌르는 질문을 했다.

"넌 이 세상에서 제일 사랑하는 게 뭐야?"

이 질문에서 뭔가 심오한 것을 깨달은 앤디 워홀, 그는 바로 '돈'을 그리기 시작했다. 그래서 탄생한 작품이 바로 그의 1981년 작 'Dollar Sign(달러)'.

　자신이 가장 사랑하던 '돈'을 예술 작품으로 승화시킨 앤디 워홀과 마찬가지로 필자 역시 돈을 사랑까지는 아니더라도 많이 좋아는 한다. 우리가 살고 있는 이 자본주의 사회에서 돈은 모든 가치와 능력의 척도임은 물론 돈이 있어야 행복하면서도 격조 높은 삶을 살 수 있는 가능성이 아주 많이 높아지기에. 필자 주변의 다른 사람들 역시 겉으로는 안 그런척하면서도 속으로는 내심 돈을 어주 좋아한다. 그래서 나는 만인의 연인(?)인 돈에 관해서 쓰기로 했다.

이 책은 미술관에 전시된 명화 속에 담겨 있는 재테크 비법을 필자 나름대로 해석 및 정리한 총 2권 중 그 두 번째 책으로서, 1권에서 종자돈을 모으는 방법 (자본의 본원적 축적)과 제대로 된 (즉, 손실은 최소화하고 수익은 극대화하는) 투자를 하기 위한 정보 수집 방법을 서양 회화 속 내용을 기반으로 하여 정리하였다면 2권에서는 명화가 담고 있는 교훈 혹은 은유(Allegory)를 중심으로 본격적인 종자돈 활용을 통해 부를 불리는 구체적인 방법을 제시하였다. 짧다면 짧고 길다면 긴 지난 1년여 동안 시중에 나와 있는 수많은 미술 및 재테크 관련 서적, 신문 기사, 그리고 인터넷 정보를 읽고 또 읽으며, 또한 미술관과 박물관을 수시로 방문하며 이 책을 위한 영감을 떠올리려 애썼으나, 이미 너무나도 다양한 재테크 서적이 시중에 나와 있기에 "진정한 화가에게 장미 한 송이를 그리는 것보다 어려운 일은 없다. 장미를 제대로 그리려면 지금껏 그렸던 모든 장미를 잊어야 하기 때문이다"라는 격언이 문득문득 뇌리를 스쳐가며 좀처럼 글의 진도가 나가지 않았다.

하지만 '미켈란젤로'가 그의 대작 '천지창조'를 그리기 직전 시스티나 성당의 광활한 벽면 아래에서 느꼈을 엄청난 예술적 도전 정신을 지속적으로 가슴 속에 되살리려 노력하는 와중에 필자 역시 고물(?) 컴퓨터와 키보드 앞에서 주제 넘게도(!) 엄청난 예술적 도전 정신을 느끼게 되었으니. 수 톤의 바위에 눌린 듯 의자에 앉기만 하면 느껴지는 극심한 등의 통증과 키보드에 부딪칠 때마다 엄습해 오는 손가락 마디마디의 고통을 참아내며, 또한 "제 혀에 넘치는 힘을 주시어 당신의 영광의 섬광, 그 불티 하나만이라도 미래 사람들에게 남길 것을 허락하소서"라며 자신의 저서인 '신곡'에서 처절하게 외친 '단테'의 간절한 소망을 가슴으로 받아들이며 한 줄 한 줄 쓴 끝에 드디어 책 두 권을 완성하게 되었다.

그리스 신화에서는 모든 죽은 자가 다섯 개의 강을 건너야 한다고 한다. 즉, 슬픔의 강 '아케론', 탄식의 강

'코키투스', 정화의 강 '플레게톤', 증오의 강 '스틱스', 그리고 마지막이 망각의 강 '레테', 이렇게 5개의 강 말이다. 그리고 이 강들을 굽이굽이 거치며 망자(亡者)의 영혼이 새롭게 탄생할 준비를 한다고 하니. 책 한 권을 탄생시키는 과정 역시 새로운 생명의 탄생이라고 부를 수 있다면 필자 역시 이 과정에서 권태, 게으름, 능력의 부족함에 대한 원망 등을 끝도 없이 온 몸으로 느꼈지만 망각의 강 '레테'를 건너며 이제 모두 잊고 다시금 새로운 책을 준비하려고 한다.

"이 세상에서 가장 위험한 자는 모든 책을 읽은 사람도, 단 한 권의 책도 읽지 않은 사람이 아니라 딱 한 권의 책만 읽은 사람이다"라는 말과 같이, 이 책 또한 당연히 투자와 부의 축적에 관한 모든 진리를 담고 있지는 못하므로 필자는 독자들이 다른 책 혹은 신문 기사도 열심히 읽어 자신만의 부에 대한 이론을 정립시키기를 바란다. 또한 이에 따라 실천하여 궁극적으로는 큰 부자가 되는 것 역시. 마지막으로 이 책이 부자가 되기 위한 투자지침서로 심오한 진리를 담고 있다 해도 움베르토 에

코가 쓴 소설 '장미의 이름'에 등장하는 다음의 구절에 따라 자신만의 편협함에서 벗어나 다양하면서도 깊은 지식을 축적하고 실천하기를 바라마지 않는다.

"인류를 사랑하는 사람의 할 일은 사람들로 하여금 진리를 비웃게 하고 진리로 하여금 웃도록 만드는 데 있는 거야. 유일한 진리는 진리에 대한 광적인 정열에서 우리가 해방되는 길을 배우는 데 있기 때문이지."

자, 이제 진리에 대한 광적인 정열에서 해방되기 위한 우리의 여정을 시작해 보도록 하자.

대치동에서 한 겨울 떠오르는 붉은 태양을 바라보며,

작가 허정혁

제2부. 본론

: 부를 향해 한 발짝 한 발짝 앞으로 나아가자!

3장. (미술관에서 배운) 실제 투자의 요령

* 1장 '본원적 축적', 2장 '정보 수집과 활용 방법'은 1권에 포함되어 있음

이 책의 제1권에서는 우리가 왜 돈을 모아야 하는지, 그리고 투자에 필요한 종자돈을 모으기 위한 본원적 축적 방법과 정보 수집/활용 방법에 대해 논하였다. 이제 제2권에서는 본격적인 본론으로 들어가 고수의 투자를 하기 위한 구체적인 방법론을 제시하고자 하며, 특히나 가진 것 없는 사람이 부자 되는 가장 좋은 방법 중의 하나인 주식 투자를 주로 다루도록 하겠다. 자, 그럼 바로 시작한다.

첫 번째. 자신이 제일 잘 아는 것, 잘 할 줄 아는 것에 집중하라 : "잘 모르는 쌀 장사보다 잘 아는 보리 장사가 낫다"

위의 그림은 러시아 화가 '이반 아이바좁스키(Ivan Aivazovsky, 이하 아이바좁스키)'가 1850년에 그린 '아홉 번째 파도(the Ninth Wave)'라는 작품으로, 거대한 폭풍우로 배를 잃은 사람들이 (난파선의) 잔해를 간신히 붙들고서 다시금 밀려드는 집채만한 파도와 사투를 벌이고 있는 장면을 담고 있다. 미술 전문가들은 이 그림이 거대한 자연에 맞서는 불굴의 인간상을 세밀하게 묘사했다고 입을 모으는데, 이러한 설명과는 전혀 상관없이 그림에 문외한인 필자의 입에서조차 정말로 잘 그린 그림이라는 감탄사가 마구마구 튀어 나오는 명작이라 하겠다. 그러기에 '가장 아름다운 러시아 그림'으로 수 차례 꼽히기도 했을 것이고. 이 그림의 제목이기도 한 'the ninth wave'는 단순히 '아홉 번째 파도'가 아닌 옛 뱃사람들의 속어로 '엄청나게 큰 파도'를 의미한다고 한다. 이 그림을 그린 화가 아이바좁스키는 평생 6,000여 점이 넘는 작품을 남겼는데 그 중 절반 이상이 전세계의 바다를 그린 그림이라고 하니, 요샛말로는 진정한 '바다 덕후'요, 명실 상부한 '바다 그림의 대가'라 하겠다.

두 번째 그림은 네덜란드 화가 '한스 볼롱기에르(Hans Bollongier)'가 1639년에 그린 '꽃이 있는 정물화(Floral Still Life)'가 되겠다. 그림 속에 등장한 꽃은 역사상 최초의 투기 사건의 주인공으로 잘 알려진 "렘브란트 튤립 (화가 '렘브란트'의 이름을 따서 지은 이름이라고 한다)"으로서, 1630년대 중반 네덜란드에서는 꽃은 물론이고 (꽃이 피기 직전의) 구근(球根)에 대한 광적인 투기 열풍으로

구근 하나 값이 일반 근로자의 십 년치 연봉에 달했다고 하니. 하지만 부풀어 오를 데로 올랐던 거품은 1637년 2월 한 순간에 훅~하고 꺼져버렸고, 그로부터 약 2년 후에 그려진 이 그림 속의 꽃들은 대부분 시들어 있다. 그리고 눈에 잘 띠지는 않지만 (그림 속) 화병 아래쪽의 도마뱀은 인간의 위선, 하루 종일 잎을 뜯어 먹는 애벌레는 탐욕, 평생 무거운 집을 지고 다녀야 하는 달팽이는 인간의 원죄를 상징한다고 한다. 이 화가는 튤립 투기 광풍이 심하게 몰아칠 즈음에 유럽의 주요 무역 중심지 중 하나였던 하를럼에서 최고의 꽃 정물 화가로 맹활약했었다.

자기가 가장 잘 하는 한 분야만 판 화가들의 전철을 따라라!

(이 책의 제1편에서 소개한 것처럼) 17세기 네덜란드에서는 대규모 무역 및 (이에 따른) 소득의 증가로 일반 시민들의 회화에 대한 수요가 급상승했으며, 이로 인해 1600년대에만 무려 600만 점에 달하는 엄청난 양의 회화

가 그려졌다. 이렇듯 많은 작품들이 한꺼번에 시장에 쏟아져 나오면서 화가들은 자신의 그림을 좀 더 비싼 값에 팔기 위해서 작품을 차별화 할 수 있는 참신하고도 독특한 소재를 발굴해야만 했었다. 그리하여 과일이나 꽃을 잘 그리는 화가, 동물 그림에 일가견이 있는 화가 등으로 각각의 전문 분야로 특화되는 현상이 발생했고, (바로 위에서 소개한) 볼롱기에르는 꽃, '프란스 스다이더스(Frans Snyders)'는 동물, 그리고 '안토니 반 다이크(Anthony van Dyck)'는 초상화, 루벤스는 신화나 성경에 등장하는 인물 등등으로 각 주제에 대한 전문 화가가 탄생했다는 것.

그렇다면 우리가 여기서 얻을 수 있는 투자와 관련된 교훈은 무엇일까? 그것은 바로 자신이 가장 잘 알고 있고 투자도 제일 잘 할 수 있는 분야에 우선적으로 투자하라는 것이다. 이를 위해서는 제일 먼저 자신이 잘 아는 분야와 잘 모르는 분야가 무엇인지를 파악해야 할 것이며, 자신이 현재 종사하고 있거나 자주 소비하는 제품과 관련된 업종 등이 당연히 자기가 잘 아는 분야가 될 것이다. 이에 반해 잘 모르는 분야는 자신의 전공 혹은 일하고 있는 분야와 완전히 동떨어져 있거나, 또는 제약이나 IT 같이 그 사업 내용을 세세히 이해하기 위해서는 일정 수준 이상의 전문 지식이 필요한 업종 등이 되겠다. 자신이 잘 알고 있는 분야를 집중적으로 공략해서 고수익을 냈던 투자 고수들은 한결같이 이렇게 말한다. 울타리 밖의 남의 잔디가 언제나 더 푸르게 보이지만 진정 중요한 것은 누르스름한 자신의 잔디이며, 파랑새를 찾아 먼 길을 떠나도 고수익을 보장하는 파랑새는 그 어디에서도 찾을 수 없을 거라고. 꼭 기억하시라. "(주식) 투자자는 남다른 무언가를 찾는 성향에서 벗어나야 한다. 가까운 곳에서, 자신이 잘 아는 분야에서 투자할 기업을 얼마든지 발굴할 수 있다"는 전설의 투자자 '피터 린치(Peter Lynch)'의 명언을.

그러나 자신이 제일 잘 안다는 자만심은 버려라!

"It ain't what you don't know that gets you into trouble. It's what you know for sure that just ain't so"라는 미국 작가 'Mark Twain(마크 트웨인)'의 격언, 여러분들도

아마 어디선가 들어보셨을 것이다. 의역을 조금 섞어서 이를 해석해 보면 "잘 몰라서 투자에 실패하는 것이 아니라 잘 안다는 착각 때문에 투자에 실패한다"가 될 것인바, 투자를 할 때 가장 경계해야 하는 것 중 하나는 자신이 어떤 분야에 대한 전문가라고 과신하는 오만 (혹은 자만심)이라고 하겠다. 물론 수 년 간 해당 업종에 종사한 것에 더해 개인적으로 시간을 내어 열심히 트렌드를 공부하고, 또한 시장에서 제품이 팔려나가는 추세를 항시 파악하고 있다면 어느 정도까지는 그 산업에 대한 전문가라고 할 수 있을 것이다. 하지만 인류 역사를 통해 자신이 전문가라고 믿는 사람들이 일으킨 재해가 얼마나 많았던가. 전쟁터에서 자신의 실력을 과신하며 적을 무시한 장군은 병사들을 죽음으로 내몰았고, 평생 무사고 비행을 자랑하던 비행사는 일순간의 방심으로 승객들은 물론 자신까지도 화염에 휩싸이게 했다. 또한 손 대는 사업마다 큰 성공을 거두었던 한 기업가는 이번에도 당연히 성공할 것이라는 믿음 하나만으로 전재산을 쏟아 부었지만 외환 위기 및 사업 허가 불발로 인해 그간 모았던 돈을 전부 잃었다고 하니, 오만과 자만심이 얼마나 무서운 것인지 잘 알 수 있다.

필자의 판단에, 이에서 벗어나기 위해서는 자신의 생각이 맞는지 틀리는지 계속해서 객관적인 검증을 해봐야 한다는 것이다. 즉, 아무리 자신이 있다 해도 최소한 3명 정도의 해당 산업 전문가의 의견을 들어보고, 인터넷 토론방도 유심히 들여다 보는 한편, 직장 동료들의 생각도 경청해 보라는 것이다. 하지만 제3자의 의견은 듣기만 해야지 맹목적으로 따라서는 절대 안될 것이고, 최종 판단은 언제나 자신이 한다는 생각으로 투자를 할 것 인가 말 것인가, 투자를 한다면 얼마나 할 것 인가, 그리고 매각은 언제 또 얼마나 할 것인가에 대한 결정 및 실행을 하여야 할 것이다.

이제 마지막으로 이 장의 결론은 1999년 개봉한 영화 '주유소 습격 사건'에 등장하는 대사로 대신하도록 하겠다.

A : 야~, 너 왜 나만 따라와?

B : 난 한 놈만 패!

A : XX, 그런 게 어딨어?

A : 난 무조건 한 놈만 패!

B : (울부짖듯이) 그게 왜 저에요?

영화 속에서는 B의 말이 끝나자마자 A가 B를 바로 두들겨 패는 장면으로 연결되지만 만일 이어지는 대사가 더 있었더라면 아마 이런 말이 되지 않을까 싶다. "왜 너만 패냐고? 내가 다른 놈 패는 것보다 너를 제일 잘 팰 수 있으니까!" 그렇다면 만약 우리가 매입한 투자 종목이 "왜 나만 사요? 그게 왜 저에요?"라고 묻는다면, 그에 대한 대답 역시 다음과 같을 것이다. "내가 너를 제일 잘 알고 결과적으로 너를 통해서 제일 많은 돈을 벌 수 있을 거라고 생각하니까!"

두 번째. '좋은 주식'을 사라!

여러분들도 잘 아시다시피 우리나라의 수도는 서울이 되겠다. 이 곳을 둘러싼 수도권의 크기는 대한민국의 약 10%에 불과하건만 서울 (및 그 부근)에 몰려 사는 사람들의 숫자는 전체 인구 5천만의 거의 절반에 가까운 2천만 명 정도라고 하니, 그 인구 집중도가 실로 놀라울 지경이다. 그렇다면 인구 밀도가 이리 높은 데다가 집값과 생활비가 비싸기로 유명한 수도권에 이 많은 사람들이 몰려 사는 이유는 무엇일까? 첫 번째이면서 가장 중요한 이유는 양질의 일자리와 자녀 교육을 위한 명문 학교 및 학원이 밀집해 있기 때문일 것이고, 두 번째는 교통/(극장, 도서관, 공연장 등) 문화시설/병원 등 각종 생활 인프라가 촘촘히 구비되어 있기 때문이며, 세 번째 이유는 온갖 먹거리와 유명 맛집이 즐비하기 때문일 것이다. 이외에도 적지 않은 단점을 상쇄하고도 남을 만큼 많은 장점이 있기에 이 많은 사람들이 수도권에 몰려 살겠지. 이러한 고로 수많은 부동산 전문가들은 진정한 (부동산) 투자의 승부처는 단연 사람과 돈이 몰려드는 서울이기에 반드시 서울(혹은 최소한 수도권)에 집을 사라고 조언하곤 한다.

다른 건 다 비싸고 좋은 걸 찾으면서 쓰레기 주식에 돈을 쏟아 붇는 이유는?

이렇듯 서울이 가장 살기 좋은 곳이기에 비싼 비용에도 불구하고 많은 사람들이 몰려 들듯이, 높은 가격에도 불구하고 사람들은 좋은 집, 좋은 차, 좋은 TV, 좋은 스마트폰을 사려고 한다. 물론 비싼 물건이 반드시 가장 좋은 제품이라는 보장은 없겠지만 모든 것의 가치를 돈으로 환산하는 자본주의 사회에서 돈과 성능 (혹은 품질)은 완전한 '같음(=, equal)'까지는 아니더라도 최소한 '근사값(≒, almost equal)' 관계 정도는 될 것이기에 금전적인 능력을 갖춘 소비자라면 비싼 제품을 구입하려고 할 가능성이 굉장히 높다고 하겠다.

그런데 이렇듯 일반 재화에 대한 지극히 자본주의적인 구매 성향과는 달리 주식에 있어서만은 많은 투자자들이 듣도 보도 못한 기괴한(?) 싸구려 주식을 대량 매집하는 등 비합리적인 행태를 보이곤 한다. 그 근저에는 여러 가지 이유가 있겠지만 주요한 세 가지를 뽑아보자면, 첫째,

우량 회사의 주식은 이미 오를 만큼 올랐기에 주식 투자의 묘미인 대박(!)을 기대 할 수 없다는 점, 둘째, 그냥 싼 맛에 아무 생각 없이 질러서, 셋째, 소위 말하는 '꾼'에게 걸려들어 그가 사라고 한 (필시 그가 소유하고 있던) 싸구려 주식을 왕창 사버려서 등등이 될 것이다. 이렇게 싸게 산 주식이 쭉쭉 올라 수십 배 혹은 수백 배의 이익을 올릴 수 있다면 너무나도 좋겠지만 아주 특별한 계기가 없는 한 싸구려 주식은 계속 싸구려로 남을 가능성이 높다고 전문가들은 지적한다. 조금 진부한 표현인지는 몰라도 될성부른 나무는 떡잎부터 알아본다고, 학창시절에도 저학년 때 공부 잘하던 친구들이 고학년이 돼서도 계속 공부를 잘 하고, 회사에서도 신입사원 때부터 업무 실력이 뛰어난 사원이 계속해서 승승장구하지 않던가. 물론 특별한 계기나 대오각성을 통해 환골탈태하는 주식이 가뭄에 콩 나듯 아주 가끔씩 있긴 하지만, 오랫동안 안 입고 안 쓰고 모은 '피 같은 돈'을 '가끔씩' 혹은 '어쩌다'와 같은 우연적인 상황에 투자해 버릴 수는 없는 일이 아닌가. 고수익이 확실하고 또 확실하다는 투자처도 거듭된 적자로 인해 주가가 바닥을 기던가 혹은 심한 경우 법정관리에 들어가 주식이 쓰레기만도 못하게 되어 버리는 판국에 이런 낮은 가치를 지닌 주식에 대한 투자는 피하는 것이 상책이라 할 것이다.

좋은 주식을 싼 가격은 아니더라도 최소한 좋은 가격에 매입하라!

그렇다면 어떤 주식을 살 것인가? 너무나도 당연한 말이겠지만 주식 전문가들은 한결같이 '좋은 주식'을 사라고 입을 모은다. 여기서 말하는 '좋은 주식'이란, 해당 산업에서 독점적인 지위를 누리고 있는 동시에 수많은 단골고객(Loyal customer)을 확보하고 있는 회사의 주식을 뜻하며, 특히 비즈니스 업계에서 소위 '스타(Star)'라 불리는 '고성장-고수익 산업'에서의 리더 기업의 주식을 의미한다. 이러한 회사들은 대부분 경쟁사와 비교해 기술적 우위 및 뛰어난 경영진을 보유하고 있으며, 제품의 원가가 낮은데다가 재무구조도 튼실하다. 따라서 이 같은 '좋은 회사'는

1~2년 적자를 보더라도 시간이 지남에 따라 과거의 높은 수익성을 회복할 가능성이 높으며, 설령 적자 기간이 예상보다 길어진다고 해도 그 동안 쌓아놓은 이익 잉여금으로 어려운 상황에 대응할 수 있는 역량을 충분히 가지고 있다. 그 결과 주가가 떨어진다 해도 그 폭이 그다지 크지 않고 머지 않아 주가가 예전 수준을 회복함을 넘어 그 이상으로 떡상할 가능성도 크다고 하겠다. 어떤 회사의 주식이 이에 해당될지는 여러분들께서도 잘 아시리라 믿기에 구체적인 종목을 거론하지는 않겠다.

그런데 투자자들이 자주 빠지는 함정 중의 하나가, 이런 주식은 안정적인데다가 조만간 가격이 다시 오를 가능성도 높기에 비싸게 사도 된다고 쉽게 생각하고 쉽게 투자하는 것이다. 하지만 너무나도 당연한 얘기겠지만 비싸게 사면 적게 벌고, 싸게 사면 많이 번다는 사실을 결코 잊어서는 안될 것이며, 그러하기에 좋은 주식도 가능한 한 최대한 싸게 사는 것이 옳다 하겠다. 아무리 '강남 아파트 불패 신화'가 있다고 한들 강남 아파트를 시가보다 훨씬 높게 주고 사는 것이 우매한 짓인 것처럼 말이다.

그렇다면 (좋은) 주식을 매입하는 데 있어 가장 최적의 시점은 언제일까? 이는 물론 주가가 하락에 하락을 거듭해 모두가 해당 주식에 대한 기대를 당분간 접고 매각을 서두르는 때이겠지만, 문제는 그것이 언제인지 혹은 언제 올는지는 아무도 모른다는 것. 그럼 이건 어떤가? '좋은 주식'이야 주가가 빠진다 해도 하락폭이 상대적으로 적고 또한 언젠간 다시 회복할 여력도 많기에 과거 주가의 추이를 유심히 살펴 지금이 역사상 가장 최고가가 아니라면 투자하고자 하는 돈의 약 20~25%만큼만 해당 주식을 사는 것이? 알뜰살뜰한 사람들이 차에 휘발유를 넣을 때 가격 상승기 혹은 하강기에는 손실을 최소화하기 위해서 한 번에 많이 넣는 대신 조금씩 나누어 넣듯이 주식 투자도 주가를 살펴가며 시일을 두고 소량씩 사는 것이다. 이렇게 하면 대박을 노리기는 어렵겠지만 (어차피 좋은 주식은 아주 큰 폭의 등락은 거의 없기에 애초부터 대박을 기대하기 어렵다) 최악의 시나리오는 피할 수 있을 것이다.

앞서 언급한 것처럼 자본주의 경제체제 하에서는 대부분 가장 비싼 제품이 가장 좋은 제품이건만 주식시장에서만은 반드시 그런 것만은 아니니 돈을 불릴 얼마나 좋은 기회인가. 또한 가격이 비싼 주식은 액면 분할 등을 통해 1주 당 주가를 50분의 1까지 떨어뜨리기도 하기에 이러한 주식을 사지 않고 쓰레기 주식을 산다면 온 세상 사람들이 우리를 비웃을 것이다.

눈먼 자라도 고수익은 아니더라도 최소한 잃지 않을 투자를 하라!

위의 그림은 전편에서도 몇 번 소개했었던 네덜란드의 화가 '피테르 브뢰헐(Pieter Bruegel, 이하 브뢰헐)'이 그린 '눈먼 자가 눈먼 자를 인도하다(The blind leading the blind, 1658년)'라는 작품이 되겠다. 이 그림은 신약성경의 마태복음에 등장하는 "If a blind man leads a blind man, both will fall into a pit (만일 눈먼 자가 눈먼 자들을 인도하면 모두가 구덩이에 빠지리라)"이라는 구절에 그 기원을 두고 있으며, 브뤼헐이 이 그림을 그릴 당시 네덜란드를 포함한 유럽은 사회 및 경제적으로 매우 혼란스러운 상황이었다고 한다. 즉, 종교 개혁 및 이에 따른 구교와 신교 간의 종교 전쟁, 마녀 사냥, 이슬람 세력의 침입, 신대륙 발견 및 무역 활성화로 인한 빈부의 격차, 젠트리 계급의 부상 등 바야흐로 중세에서 근대로 넘어가는 '패러다임 전환(Paradigm Shift)'을 거치고 있었던 것. 하지만 정치 및 종교 지도자들은 민생을 위한 정책을 펼치거나 도덕적으로 모범을 보이기는커녕 대규모 도시 계획 및 건축 사업 강행, 소통이 전혀 없는 불합리한 정치, 자신의 신앙에 대한 맹목적인 추종, 재산에 대한 노골적인 탐욕 등을 숨김

없이 드러냈고, 이에 브뤼헐은 힘없는 백성을 가난과 멸망의 구덩이로 내모는 사회 지도층 인사들을 풍자 및 비판하기 위해서 이 그림을 그렸다고 하니. 따라서 그림의 제일 오른편에 보이는 이미 구덩이에 빠진 사람이 사회 지도층 인사가 되겠고, 그 뒤에서 구덩이에 빠지기 일보 직전인 사람들과 아직까지 무슨 일이 일어 나고 있는지 전혀 모르고 있는 사람들이 불쌍한 백성들이 되겠다.

음, 하지만 우리는 관점을 조금 달리해서 이 그림을 보면 어떨까? 즉, 아무리 눈에 아무 것도 보이지 않는 눈먼 자라 할지라도 그들이 거쳐 가는 길에 가시밭과 구덩이는 물론 그 어떠한 장애물도 없다면 무사히 목적지에 이를 수 있듯이, 주식을 포함한 경제와 관련된 지식이 전혀 없는 또 다른 '눈먼 자'라 할지라도 돈을 잃을 확률이 굉장히 낮거나, 혹은 최소한 본전치기를 할 수 있는 것에 더해 장기적으로는 고수익을 올릴 수 있는 안전한 투자만 할 수 있다면 이들 역시 자신의 목적지에 안전하게 다다를 수 있지 않을까? 물론 가는 길에 아주 조그마한 자갈에 발이 걸려 잠시 휘청거릴 수는 있겠지만, 위의 그림에서처럼 구덩이에 빠지는 치명적인 사고를 당하는 대신 가고자 하는 곳에 무사히 갈 수 있을 것이다. 따라서 앞서 소개한 '좋은 주식'에 해당하는 종목으로만 포트폴리오를 구성하여 투자한 후 장기 보유 한다면 아무리 눈먼 자라도 자신의 투자 목적을 달성할 가능성이 수직 상승한다는 것. 하지만 여기에는 매우 중요한 전제조건이 하나 있으니, 그것은 바로 (앞서 강조한 것처럼) 좋은 주식이 갖지 못한 한 가지는 포기해야 한다는 것. 그게 뭐냐고? 그것은 바로 '대박' 혹은 '일확천금'이 되겠다. 다시 한번 강조하건대 '좋은 주식'만을 맹목적으로 매입하는 눈먼 자가 되려면 바로 그러한 것들을 마음 속에서 완전히 지워 버리시기 바란다. 그리고 투자하고자 하는 돈의 약 20~25% 정도씩 시차를 두고 분산해서 해당 주식에 투자하는 지혜로운 '눈먼 자'가 되시기를.

그리스 신화에 등장하는 '네메시스(Nemesis)'는 복수의 여신을 일컫는데, 그녀는 불의를 심판하는 한편 과분한 행운을 얻은 자에게는 분수를 알게끔 하는 역할도 맡았기에 후대에는 운명을 관장하는 여신 "포르투나(Fortuna, 영어로는 'Fortune'에 해당)"와 혼동되기도 했다고 한다. 흠, '천벌'을 뜻하는 'Nemesis'와 '행운'을 뜻하는 'Fortune'이 유사한 의미로 받아들여지기도 했다니, 일확천금이란 건 이 지구 상에 존재하지도 않겠지만 만약 그것이 나에게 온다 해도 그 끝이 어떨지는 어느 정도 예상이 가능하지 아니한가???

세 번째. 좋은 주식들을 한 주씩 사서 포트폴리오를 구성해 꾸준히 주식 공부하라!

지금으로부터 200여 년 전인 1808년, 나폴레옹이 이끄는 프랑스군이 스페인을 침공하자 (당시 스페인 국왕이었던) '카를로스 4세'는 무책임하게도 자신의 아들인 '페르난도 7세'에게 왕위를 물려주고는 해외로 도주해 버린다. 그러자 나폴레옹은 기다렸다는 듯이 즉각 새로운 왕을 퇴위시키고는 자신의 친형인 '조제프 보나파르트'를 스페인 왕으로 갖다 앉힌다. 이에 분노한 마드리드 시민들은 같은 해 5월2일 침략자인 프랑스군에 맞서 격렬히 저항했지만 신형 대포와 소총으로 무장한 당시 세계 최강의 군대였던 프랑스군을 당해 낼 수 없었고, 봉기는 곧 무력으로 진압되고 만다. 그리고 바로 그 다음 날인 5월3일 새벽, 프랑스군은 무장 봉기에 대한 보복으로 수많은 마드리드 시민들을 무자비하게 총살한다. 그로부터 약 6년 후인 1814년 스페인의 화가 '프란시스코 고야(Francisco Goya)'는 이러한 역사의 아픔을 후세에 길이 전하려는 듯 혼신의 힘을 다해 이 사건을 화폭에 담았으니, 그 작품이 바로 여러분들께서 위에서 보시는 '마드리드, 1808년 5월3일'이라는 그림이 되겠다.

이 작품의 주인공은 그림 중앙에서 양손을 높이 치켜든 (결백을 상징하는 듯한) 흰색 셔츠를 입은 남성이지만, 그림 속 주요 구성 요소는 세 개인 것으로 보인다. 그 중 제일 첫 번째는 이 작품의 배경이 되는 (그림 뒤편에 위치한) 탑이 있는 건물과 나무라곤 전혀 없는 붉은 흙의 언덕이며, 두 번째는 흡사 로봇처럼 기계적으로 살인을 집행하는 얼굴마저 보이지 않는 프랑스 병사들, 그리고 마지막은 억울하게 총살 당하는 (흰색 셔츠를 입은 남자를 포함한) 마드리드 사람들이 되겠다. 이 세 부분은 하나의 작품 속에 포함된 (구성) 요소가 아닌 마치 개별적인 그림이라고도 할 수 있을 정도로 각각의 진한 개성을 담고 있으니. 이 중 특히 스페인 사람들의 모습에는 시간의 경과 또한 담겨 있는데, 작품 중앙에서 손으로 얼굴을 가리고 언덕으로 올라오는 일행은 과거를, 총구 앞에서 분노와 절망에 휩싸여 어찌할 바 모르는 사람들은 현재를 의미하며, (화면 왼쪽에 그려진) 총에 맞고 쓰러진 사람들은 그들의 미래인 죽음을 뜻한다고 하니.

이 장의 두 번째 그림은 네덜란드 화가 '피터르 아르트센(Pieter Aertsen, 이하 아르트센)'의 1551년도 작품인데, 느낌이 어떠신지? 눈을 부릅뜨고 있는 소의 머리, 천정에 매달린 돼지 머리와 내장, 그 옆의 통갈비에 더해 이제 막 잡은 듯한 닭과 생선까지, (미술전문가들에 따르면) 작가는 풍성한 고기 더미를 표현한 것이라지만 작품 속 광경은 좀 기괴해 보인 달까, 아니면 소름이 쫙~ 돋는 달까, 아무튼 우리 현대인에게 친숙한 대형 마트 내 정육 코너의 풍경과는 달라도 너무 다른 듯 하다. 그런데 이 작품의 제목은 '푸줏간 풍경'이 아니라 '자선을 베푸는

성가족(聖家族, 예수와 그의 부모)과 푸줏간'이라니, 이건 또 어찌된 영문일까? 흠, 그 이유를 파악하기 위해 그림을 유심히 살펴보니 화면 오른편 (마치 뱀처럼 생긴 순대 바로 밑)에서 굴과 포도주 등 파티를 위한 음식을 준비하는 정육점 주인이 보이지만...그림 제목에 대한 확실한 실마리는 제공하지 못하는 듯하다. 아, 바로 그 순간, 화면 중앙 (돼지 머리의 왼편)에 위치한 거리가 눈에 확~하고 들어오면서 수많은 걸인과 함께 있는 어린 예수와 그의 부모가 보인다! 그림 속의 그들은 지금 유대왕 헤롯의 영아 학살을 피해 이집트로 피신 중이건만 그 다급한 와중에도 성모 마리아는 얼마 되지도 않는 빵을 떼어 걸인들에게 나눠주고 있으니. 결론적으로 이 작품은 푸주간을 그린 단순한 정물화가 아닌 종교화이며, 진정한 풍요는 고기가 아닌 어려운 이들을 저버리지 않는 마음에서 온다는 것을 표현한 것이란다. 즉, 미술사학자 '우정아 교수'에 따르면 "엄청난 고기의 틈바구니에서 식탐과 과욕으로 몸을 살찌울 것이 아니라 겸허한 태도와 나누는 마음으로 영혼을 살찌우라"는 교훈이 이 작품 속에 촘촘히 담겨있다는 것.

음, 그런데 이제껏 살펴본 고야와 아르트센의 그림에는 한가지 공통점이 있는 듯 하다. 그것은 다름아닌 이 두 작품 모두 언뜻 봐서는 별다른 관계가 없어 보이는 세 개의 요소가 하나로 결합되며 명작을 탄생시켰다는 것. 적합한 비유가 될지는 모르겠지만, 이는 세 명으로 구성된 걸 그룹 멤버 중 한 명은 비주얼(Visual, 외모), 다른 한 명은 춤, 그리고 마지막 한 명은 노래 (가창력), 이렇게 파트를 달리하며 각자의 장점을 살려 상대방의 단점을 보완해 주는 동시에 서로 간의 시너지를 창출하는 것과 유사하다고 하겠다. 즉, 첫 번째 그림은 뒷배경, 희생자, 그리고 학살자 등 이렇게 세 가지의 구성 요소가 모여 그림에 전체적인 역동성을 부여하는 동시에 절대로 잊어서는 안될 비극을 증언하는 위대한 역사화가 되었고, 두 번째 그림은 언뜻 푸줏간과 음식을 준비하는 광경을 그린 정물화 (혹은 풍속화)의 모습을 띠고 있지만 결과적으로는 종교적인 교훈을 전해주는 경건한 기독교 미술 작품으로 승화되었다는 것.

주식도 서로 다른 개성을 갖춘 종목으로 포트폴리오를 구성하라!

앞서 소개한 두 작품의 이른바 '삼단 구성'은 하나의 자산에 집중하기보다 다양한 자산에 나누어 투자하라는 '포트폴리오 투자기법'을 떠올리게 한다. "계란을 한 바구니에 담지 말라"는 아주 진부한(?) 증시의 격언처럼, 고야와 아르트센은 서로 간의 상관관계가 매우 낮거나 (고야 그림 속 건물 및 언덕과 마드리드 사람들, 아르트센 작품 속 성가족과 푸줏간 주인) 혹은 대척점에 서있는 장면들 (고야 그림 속 처형 당하는 마드리드 사람들과 살인을 자행하는 프랑스 병사들, 아르트젠 작품 속 성가족과 고기 더미)의 적절한 배치를 통해서 그림이 관객에게 전달하는 효과를 극대화시킴은 물론 명작의 반열에 올랐다는 것.

그렇다면 우리 역시 예술계의 거장들과 마찬가지로 이 포트폴리오 기법을 활용한 투자를 실행해 보면 어떨까? 즉, 성장 산업의 리더이면서 시가 총액 10위 안에 드는 것은 물론 망할 가능성이 거의 제로에 가까운 (좋은) 주식

세 개 종목을 분할 매수 및 장기 투자 방식으로 사보자는 것이다. 이 3개 종목의 수익율이 서로 상관관계가 매우 낮거나 (상관관계 0) 혹은 반대로 움직인다면 (상관관계 -1) 더더욱 좋을 것이고. 또한 같은 산업 내에서 경쟁관계에 있거나 혹은 산업적으로 완전히 대척점에 있는 기업들 (예를 들어 원자력 발전소 설계업체 vs. 풍력 등 천연 에너지관련 기업)이어도 좋겠다. 만일 투자금의 손실을 최소화하고 싶거든 처음엔 일단 종목당 1주씩만 사서 6개월이고 1년이고 그 추이를 분석하며 주식 공부를 해보는 것도 괜찮을 것이고. 심지어 이러한 투자마저 꺼려지거든 소수점 주식 거래 (특정 기준 단위인 1주 미만의 불완전한 주식이 규정되는 거래)라도 한 번 해보자. 이런 식으로 주식 투자 요령을 점차적으로 파악해 나가면서 자신의 투자 성향에 대한 분석도 해보고, 언젠가 때가 왔다고 생각되면 보다 많은 금액을 '좋은 주식'에 장기적이고도 계획적으로 투자도 해보고 말이다.

'참용기'를 실천하라!

이제 다시 고야의 그림으로 가보도록 하자. 이 작품을 유심히 보다 보면 왼쪽 끝에 흐릿한 그림자 같은 인물이 웅크리고 있는 모습이 눈에 띄는데, (미술 전문가들에 따르면) 흐트러진 긴 머리칼을 가진 이 여성은 바로 골고다 언덕에서 자신의 아들(=예수)의 죽음을 끝까지 지켜보았으며 또한 위에서 소개한 그림 '자선을 베푸는 성가족과 푸줏간'의 주인공이기도 한 '성모 마리아'라고 한다. 이처럼 고야는 자신의 그림 속에서 그녀를 마드리드 시민들이 억울한 죽음을 맞게 된 언덕에 등장시켰으며, 성모 마리아의 거룩한 은총 때문이었는지 악랄한 프랑스군의 보복에도 불구하고 저항 운동은 스페인 전국으로 확대되며 프랑스군은 결국 1814년에 스페인에서 쫓겨나고 말았다. 그 길다면 길고 짧다면 짧은 세월 동안 고야는 오직 작가로서의 사명감 하나만으로 이 모든 살육과 저항을 화폭에 담아 훗날 총 82매로 구성된 '전쟁의 참화'라는 판화집을 제작했다고 하니.

자, 그렇다면 한 번 생각해 보시라. 만일 그가 조국의 현실을 비통해 하기만 하면서, 또한 원인을 알 수 없는 중병에 걸려 청각을 완전히 상실한 것에 낙담해 인생을 쉽게 놔버렸다면 이처럼 위대한 예술 작품이 세상에 태어날 수 있었을까? 바로 이 대목에서 고야가 우리에게 전해주는 메시지는 딱 하나 일 것이다. 머리 속으로만 투자를 한다 한다 하지만 말고, 혹은 남들 투자 수익률이 몇 퍼센트 인지에만 관심을 두지 말고 '좋은 주식' 한두 개를 통해 주식 시장에 대한 감을 잡은 후 (용돈으로 소비해 버릴 돈을) 장기 적금 든다고 생각하고 좋은 주식 여러 개를 몇 년에 걸쳐 꾸준히 사들이는 장기 분할 매수 방식을 실천하는 것! 근데 그래서야 언제나 돈을 벌겠냐고? 음, 주식으로 수십억을 벌어들인 한 부자가 말했다. 주식은 7할이 기다림이라고. 그리고 어느 정치인은 말했다. 큰 일을 이루기 위해서는 '참용기'를 실천해야만 한다고. 이는 '참자', '용서하자', 그리고 '기다리자'의 준말이지만 주식 시장에서는 '(시장을 제대로 알 때까지) 참자', '(언제 오를지 모를 주식을 산 나 자신을) 용서하라', 마지막으로 '(주가가 오를 때까지 언제까지고) 기다리자'라는 뜻이 되겠다. 아무쪼록 이 명언을 가슴 속에 품고 우리의 꿈에 한 발짝이라도 다가서기 위해 매일매일 아주 작은 것이라도 실천하는 우리가 되어보자. 무엇을 위해서? 우리네 남은 생의 풍족함을 위해서!

네 번째. 재테크 전문가가 추천하는 주식이라도 '좋은 주식'이 아니면 사지 말라!

"잉? 최근엔 예능은커녕 드라마나 영화에도 얼굴을 비추지 않으시는 분이 왜 집 자랑하러 예능에 나오셨누???"

유X브다, 인스X다 해서 재미있는 것이 넘쳐나는 요즘에는 TV (특히 지상파 채널)를 볼 일이 거의 없긴 하지만 아주 간만에 소위 말하는 '바보 상자(Idiot box)'를 틀어보면 한동안 까맣게 잊고 있던 연예인이 나와서는 뜬금없이 집 자랑하는 장면과 맞부딪치곤 한다. 필자야 뭐 아무런 생각 없이 대략 5분 10분 보다가 꺼버리곤 하지만 저런 방송이 심히 불편하신 분들이 꽤나 많으신가 보다. 왜

냐면 몇 년 전부터 집값이 올라도 너무 많이 올라 버린 작금의 상황에서 상대적 박탈감은 물론 심지어 계층 간 위화감까지 불러 일으킬 수 있는 저런 프로를 대체 왜 방송에 내보내느냐는 기사가 심심찮게 언론에 보도되는 걸 보니 말이다. 아마도 연예인, 특히 인기 스타라면 그의 일거수일투족에 팬들의 엄청난 관심이 집중되기에 방송사 입장에서는 높은 시청률을 위해 집안 구석 구석까지 취재해서 방영할 수도 있을 것 같고, 또한 (스타의) 집을 취재하겠다며 섭외가 들어왔을 때 자신의 부를 과시하고 싶어서 나오는 연예인도 있을 것이며, 간만에 출연한 연극이나 영화의 홍보를 위해 기꺼이 자신의 집을 공개하기도 할 것 같다.

음, 그런데 필자가 너무 순진(?)했던 것일까, 일각에서는 스타들의 갑작스런 집 자랑에는 뭔가 숨겨진 꿍꿍이가 있을 거라고 하니 말이다. 그네들의 말에 따르면, 인기 연예인이 집안 곳곳을 죄다 방송에 공개하는 주된 이유는 집을 매매하려는 목적 때문이라는 것. 즉, 집을 팔려고 내놨지만 마음같이 잘 팔리지 않자 방송에 출연해 집을 공개한다는 것이다. 이렇게 하면 전국 방방곡곡의 시청자들에게 집을 보여주는 것이나 마찬가지기에 엄청난 홍보 효과를 기대할 수 있는 것에 더해 현재 내놓은 금액보다 훨씬 더 높은 가격으로 팔 수도 있기 때문이란다. 물론 주택매매라는 모종의 목적을 위해서가 아닌 오직 자신의 높은 행복지수를 자랑하고픈 순수한(?) 의도로 집을 소개하는 경우도 있겠지만 TV 프로그램뿐만이 아닌 인터넷에도 스타들의 집과 관련된 기사나 동영상이 넘쳐 나는 것을 보면 이런 종류의 목적을 가지신 연예인분들이 (비록 많지는 않아도) 있는 것만은 확실한 것 같다.

과거에도 현재에도 넘쳐나는 사기꾼들

연예인이 집을 팔기 위해 각종 매체에 자택을 소개하는 것이 도덕적으로는 비난 받아 마땅한 일일 수도 있으나 집을 사려는 사람들에게 최신 부동산 정보를 전달하기도 하는 등 약간의 순기능도 있다고 하겠지만, 이번에 소개할 히에로니무스 보쉬의 그림 '야바위꾼(The Conjurer,

1505년 작)'에 등장하는 무리는 털끝만한 순기능은커녕 신기한 (속임수) 마술에 넋이 나간 사람들의 모든 것을 앗아가는 악랄한 범죄자 그 이상도 이하도 아니라고 하겠다.

그림 제일 오른편에 보이는 검은 모자를 쓰고 붉은 옷을 입은 야바위꾼 (혹은 마술사)은 '컵과 공(Cups and balls)'이라는 마술로 구경꾼들의 혼을 쏙~ 빼놓고 있다. 우리에게도 친숙한 이 마술은 뒤집어 놓은 컵 밑의 공이 홀연히 어디론가 사라져버리거나 뜬금없이 옆의 컵 밑에

서 나오기도 하고, 또는 한 개였던 공이 두 개가 되거나 한 순간에 다른 빛깔로 바뀌는 트릭이 되겠다. 이 마술이 단순한 속임수라는 것을 뻔히 아는 우리 현대인들도 간혹 마술사들의 재빠른 손놀림에 넋이 나가는 때가 있을 정도니 하물며 이에 대한 정보가 1도 없었을 500년 전의 사람들 (특히 도시가 아닌 한적한 농촌에 사는 촌사람들)에게는 경이로움을 넘어 정말로 신비스러운 광경이었을 것이다. 만일 이들이 관객들에게 마술을 보여주고는 구경 값만 걷어 갔다면 무미건조한 삶에 단비와 같은 즐거움을 전해주는 훌륭한 엔터테이너라고 할 수 있겠지만, 웬걸, 마술사와 한통속임이 분명한 맨 왼편의 남자가 뭔가에 홀린 듯 앞으로 몸을 푹~ 숙이고 있는 앞사람의 지갑을 슬쩍하고 있지 않은가. 그 앞에서 불쌍한 피해자를 한심한 듯 바라보는 어린 아이는 덤.

또한 이 그림에는 세 마리의 동물이 등장하는데, 미술평론가들에 따르면 야바위꾼이 들고 있는 바구니 속의 올빼미는 그의 영악하면서도 사악한 지혜 (혹은 지식)를, 돈을 소매치기 당하고 있는 피해자의 입에서 튀어나온 개구리는 이성을 완전히 내팽개치고 쾌락에 굴복해 버린 것을 의미한다고 한다. 그리고 야바위꾼 바로 앞에 앉아 있는 동물은 마술 쇼의 분위기를 띄우기 위해 재주를 부리는 원숭이로 보이는데, 옛날 이런 원숭이들이 얼마나 영악했는지 길거리에서 공연을 하다가 돌연 구경하던 사람의 모자를 낚아채거나 (원숭이의) 묘기에 정신이 나간 구경꾼의 지갑을 슬쩍 하기도 해서 '속임수'를 뜻하는 'Monkey business(몽키 비즈니스)'라는 표현이 생겨났다고 한다. 결론적으로 이들은 인수(人獸) 공통 전염병과도 같이 인간을 고통과 궁핍으로 몰아넣는 인수 연합 사기꾼 (또는 소매치기) 일당이 되겠다. 흠, 헌데 자신만이 가진 손기술과 얄팍한 지식으로 대중을 현혹하는 것을 넘어 전재산을 강탈해 가는 저런 못쓸 인간들이 저 시대에만 있었을까? 그럴리가! 여러분들도 많이 경험하셨겠지만 요즘에도 말 그대로 철철 넘쳐난다.

소위 주식 전문가라고 하는 자들이 사라고 한 종목을 맹목적으로 사들인 투자의 끝은?

"자신이 미리 사둔 종목을 방송에서 추천한 뒤 주가가 오르면 팔아 치우는 수법으로 60억 원 챙겨..."

"유통량이 적은 종목을 매수한 뒤 원금 보장과 고수익을 미끼로 개미 투자자들에게 매수를 추천하는 방식으로 주가를 끌어올려 돈을 챙겼다..."

"유X브 주식 전문가라고 하길래 사라는 대로 샀다가 처음에는 조금 올랐는데 한 달 뒤에는 (주가가) 그만 폭락해서 손절하고 말았다는 투자자들의 하소연이 잇달아..."

위에 인용한 뉴스 내용과 같이 요즘에는 소위 "핀플루언서(Finfulencer, SNS 및 인터넷 상에서 일반 투자자들에게 주식 투자 정보를 제공해 주는 금융 전문가를 일컬음, 'Finance'와 'Influencer'의 합성어)"라 불리는 자들의 말만 믿었다가 전재산을 잃는 투자자들이 적지 않다고 한다. (물론 현재 활약 중인 핀플루언서들 모두가 그렇지는 않겠지만) 사람들을 현혹하는 이들의 공통점은 아주 적은 돈을 발판으로 수백억 원 대의 자산을 축적한 자기만 믿고 따르면 단기간에 고수익을 올릴 수 있을 거라며 투자를 권한다는 것. 흠, 하지만 이 세상에 별다른 노력도 하지 않고 짧은 시간에 고수익을 올릴 수 있는 것이 어디 있기나 할까? 요행으로 큰 돈을 벌 수 있는 가장 좋은 방법일지도 모를 로또조차 장기간에 걸쳐 꾸준히 로또를 사 모은 사람이 1등으로 당첨될 가능성이 높다는데?!

언론에 추가로 보도된 뉴스에 따르면, 이들 중 일부는 대개 특정 종목의 주식을 미리 매수한 뒤 투자자들에게는 이 사실을 숨기고 같은 종목을 고가에 매수하라고 권유하여 시세차익을 얻는 소위 '선행매매'라는 수법으로 돈을 강탈해 간다고 한다. 비록 이 같은 범죄가 적발된다 해도 길어야 단 몇 년간만 법의 심판을 받거나 혹은 벌어들인 돈의 아주 일부만 벌금으로 낼 뿐 투자자들의 원금을 상환하는 경우는 거의 없으며, 게다가 얼마 지나지 않아 이들이 진행하는 인터넷 방송의 명칭만 살짝 바꾼 뒤 또다시 일을 벌이기도 한다니 참으로 개탄스럽기 그지 없다. 위에 소개한 그림 속의 야바위꾼이야 구경꾼들이 몸에 지닌 지갑 혹은 보석만 슬쩍 하겠지만 이러한 현대의 '꾼'

들은 피해자들의 온 재산을 탈탈 다 털어간다. 그들에게 피해를 본 사람 중에서는 헤어나올 수 없는 낙담 속에서 세상을 등지는 경우도 있다 하니, 이리 안타까운 일이 세상에 또 있으랴.

검증에 검증을 더하라! 만일 실수로 빠져 들었다면 바로 빠져 나올 수 있는 분별력을 갖춰라!

그렇다면 어떻게 해야 우리를 지옥의 나락으로 밀어 넣으려는 흉포한 일당의 유혹에서 벗어 날 수 있을까? 너무 진부할 지도 모르지만 투자를 하기에 앞서 검증에 검증에 검증을 거쳐야 한다는 것이다. 즉, 그들이 추천하는 종목이 이 책의 앞에서 소개한 '좋은 주식'에 해당하는 지 아니면 듣도 보도 못하던 주식인지 검증하고, 비록 '좋은 주식'이라 할 지라도 장기적으로 투자를 해도 좋은 종목일지 최소한 세 명의 전문가 (혹은 서로 다른 세 개의 매체)에 재확인하는 등등의 과정을 반드시 거치라는 것. 이에 더해 만일 이들이 단기간에 고수익을 보장한다면서 급하게 투자 결정을 강요한다면 이는 99% 사기일 것이므로 이들과는 거리를 둬도 아주 먼 거리를 둬야 할 것이다. 아니, 아예 거들떠 보지 않는 편이 더 나을 수도 있다.

위의 그림은 프랑스의 화가 '조르주 드 라 투르(Georges de La Tour)'가 1647년 경에 그린 '사기꾼들(The cheat with the ace of clubs)'이라는 작품으로, 눈깔(?) 돌리는 것만 봐도 바로 알 수 있듯이 (그림 속) 왼편의 세 명은 모두 한통속으로 오른편에 앉은 세상 물정이라고는 전혀 모를 것 같은 한 청년을 등쳐(!) 먹으려 하고 있다. 처음 판이 시작됐을 때는 이 애송이 청년이 크게 따도록 했

는지 그의 앞쪽에 금화가 잔뜩 쌓여 있지만 왼편에 앉은 남자 사기꾼은 포도주를 따르는 하녀가 몰래 전해주는 정보를 참고하며 가운데 앉은 여자의 지시에 따라 등 뒤에 숨겨놓은 에이스로 크게 한 건 하려는 듯이 보인다. 만일 애송이 청년이 저들이 하는 행태를 잘만 살펴 본다면 자신을 향해 스멀스멀 기어오는 탐욕적이면서도 냉혹한 움직임을 알아 차릴 수 있을지도 모르지만 그는 이번 판에도 저 도박에 서투른 선하고 어수룩한 친구로부터 많은 돈을 딸 수 있을 것이라는 혼자만의 착각에 깊게 빠져 있는 듯 하다. 이대로라면 아마도 새벽녘에 저 청년은 빈털터리, 아니 가진 옷까지 모두 빼앗겨 벌거숭이가 되어서야 저 곳을 빠져 나올 수 있을 지도 모른다. 이 처량한 애송이(!)처럼 사기꾼들의 먹이감이 되어 모든 재산을 날리고 세상 사람들의 웃음거리가 될 것인가, 아니면 지금이라도 당장 자리를 박차고 일어나 도박장을 뛰쳐나가 악의 소굴에서 벗어날 것인가? 이쯤 되면 답은 너무 뻔하지 않은가???

'선행매매 (사기)'와 관련된 기사에 달린 댓글들을 유심히 살펴보니 피해자들을 동정하거나 사기꾼들을 비난하는 의견보다는 "자신의 돈은 자신이 지키는 것", "일확천금을 노리는 자들의 최후", "손실이 발생하면 책임은 오롯이 투자자 본인이 지는 것", "투자는 투자를 하는 본인의 무한 책임인 것" 등등, 투자자의 탐욕과 무지를 탓하는 의견이 훨씬 더 많았다. 이러한 비난 여론이야 한 귀로 듣고 한 귀로 흘리면 그만이겠지만 이미 날아가 버린 자신의 재산은 이제 어떻게 할 것인가? 최선의 상황은 처음부터 저런 사기꾼들에게 말려 들어가지 않는 것이겠지만 이미 빠져 들었다면 지금이라도 저들의 탐욕과 사기 행각을 확실히 포착해서 재빨리 현실로 다시 돌아와야 할 것이다. 지금 당신은 어디에 있는가?

다섯 번째. (사고 파는 것에 대한) 결정은 신중하게, 행동은 바로 바로 신속하게!

"EX PRAETERITO PRAESENS PRUDENTER AGIT, NI FUTURUM ACTIONE DETURPET (과거의 경험에서

배워, 현재에 신중하게 행동하여, 미래를 망치지 말지어다)"
라는 라틴어 경구와 여섯 개의 인수두(人獸頭, 사람과 짐
승의 머리)가 함께 등장하는 아래의 작품, 어디선가 본 적
이 있으신지?

이 그림은 캔버스에 유화 기법을 최초로 도입해 '회화의
군주'라 불리기도 하는 '티치아노 베첼리오
(Tiziano Vecellio)'의 '신중함의 알레고리(Allegory of
prudence)'라는 작품으로, 맨 왼편의 늑대와 늙은 노인의

모습을 한 화가 자신은 과거의 기억과 노년의 지혜를, 가운데 그려진 사자와 중년인 티치아노의 아들은 현재의 맹렬한 행동을, 그리고 오른편의 개와 젊은 티치아노의 조카는 미래의 희망을 뜻한다고 한다. 위의 작품은 노년이 된 티치아노가 사망하기 약 6년 전인 1570년에 그린 작품인데, 아들을 포함한 후손들에게 항상 신중하게 처신할 것을 당부한 회화 형식을 띤 유언장이라고 하겠다. 하지만 인간인 이상 아무리 경험과 지혜가 풍부하다 한들 항상 옳은 일만 하고 살 지는 못하는 법, 그래서인지 카를로스 3세를 비롯한 무려 네 명의 스페인 왕 밑에서 궁정 화가를 지냈으며 (앞 장에서도 소개한) '전쟁의 참화 (판화집)', '(14점의) 검은 그림 연작' 등의 명화를 남긴 위대한 화가 '프란시스코 고야'는 여든에 가까운 나이에도 '나는 아직도 배우고 있다(Aun aprendo)'라는 생애 마지막 작품이자 자화상을 남겼는지도 모른다. (아래 그림에서 보시는 바와 같이) 짙은 암흑 속에서 양손에 지팡이를 짚고 겨우 서있으면서도 한 곳을 뚫어지듯 응시하는 그의 눈빛은 여든 살 노인이라고는 전혀 믿기지 않을 정도로 날카롭기 그지 없다. 이 같은 대가들의 명작이 우리에게 주는 '신중하라', '미래에 대비하라', '(죽는 날까지) 꾸준히 배워라'와 같은 가르침은 오늘날을 사는 인류, 특히 재테크를 통해 부를 일구려는 투자자들에게 크나 큰 교훈을 준다 하겠다.

언제 살 것인가?

그러나 아무리 많은 경험과 지혜를 쌓는다 해도, 또

한 아무리 신중하게 이것 저것 다 재보며 인생을 산다고 해도 중대한 결정을 내려야만 하는 절체절명의 순간이 언젠가는 반드시 오는 법이며, 특히 (주식과 관련된) 재테크를 하다 보면 '언제' 그리고 '얼마나' 살 것인가 하는 질문에 꼭 답해야만 하는 때가 있기 마련이다. 이에 대한 확고부동한 정답이야 당연히 없겠지만, 미국 월스트리트의 성인(聖人)으로 불렸던 '존 템플턴(John Templeton, 이하 템플턴)'의 의견을 빌자면 주식을 매수하기에 가장 좋은 시점은 증시와 경기에 대한 '비관론'이 하늘을 찌를 때라고 한다. 즉, 주가가 완전히 바닥을 쳐 앞날에 대한 비관이 최고조에 달한 때가 바로 매수의 최적기라는 것. 그럼 당연히 이런 질문이 따라올 것이다. 신(神)이 아닌 이상 그 때가 언제인지 어떻게 알 수 있냐고. 증권 전문가들 역시 신이 아니기에 100% 확실한 정답을 알 수는 없지만 최적의 시점을 파악하기 위해서 여러 가지 징후를 살펴 본다고 하며, 예를 들어 신문에 '주가 폭락', '경기 전망 최악' 등의 헤드라인이 뜨는 것을 매수에 적극 나서야 할 신호로 해석한다고 한다. 이에 더해 소위 말하는 '카더라 통신'에 따르면 증시가 바닥을 쳤다는 가장 정확한 시그널은 '주식 투자 실패로 극단적인 선택 이어져'라는 보도가 줄을 이을 때라고 하기도 하지만...이러한 상황에 이를 정도로 모든 것을 쏟아 붓는 투자는 필히 지양해야 할 것이며, 설령 이토록 불행한 사고가 일어났다손 쳐도 아무 생각 없이 신문 지상에 옮겨 싣는 것 역시 피해야 할 것이다.

다시 본론으로 돌아가서, 주식 역시 수요와 공급이 일치하는 점에서 가격이 결정되는 (자본주의적인 속성을 지닌) 재화이기에 매입하려고 하는 사람이 적고 매도자가 많은 불경기 (혹은 불경기가 예상되는 시점)에 가격이 가장 낮을 가능성이 크며, 바로 이 때가 최적의 매입 시기라고 봐도 될 것 같다 (물론 주가에는 해당 기업의 실적, 평판, 전체적인 경기 등 다양한 요소가 영향을 주겠지만 수요-공급 법칙 측면에서 볼 때는 그렇다는 것임). 하지만 여기서 우리는 또 하나의 딜레마에 봉착한다. 주식 가격이 완전히 다 빠진 것이 아니라 앞으로 밑도 끝도 없이 하락 할 수도 있고, 게다가 내가 투자한 주식이

상장되어 있는 나라가 파산 선언(Default)을 해 버릴 수도 있는데 뭘 믿고 함부로 주식을 매입하느냐 이 말이다. 음, 허나 우리는 지금까지 숱하게 경험해오지 않았던가, 유가 파동에, IMF에, 리만 사태에, 코로나에, 우크라이나 전쟁 등등 때문에 주가가 바닥을 모르고 떨어지더라도 결국엔 실물 경기의 회복과 정부의 경기 부양 정책 가동, 그리고 국가간 경제 협력에 의해 어느 순간 주가가 예전 수준으로 회복된다는 것을 말이다. 아마 이 책을 읽으시는 독자분들 대부분이 고등학교 사회 시간에 '경기 순환 이론 (전체적인 경기 수준이 주기적으로 상승과 하강을 반복하는 것)'에 대해 이미 배우셨겠지만 우리 인간은 망각의 동물이기에 이 사실을 너무나도 쉽게 잊어버리곤 한다. 여기서 한가지 반드시 주의해야 할 점은, 반드시 '좋은 나라'의 '좋은 주식'을 사야지 '이상한 나라'의 '이상한 주식'을 사면 경기 순환 이론이고 뭐고 간에 가진 돈을 다 날릴 수도 있다는 것!

이제 마지막으로 주식을 적기(適期)에 사기 위해 해야 할 구체적인 실천 사항을 알아보고 다음으로 넘어가도록 하자. 앞서 소개했던 유명 투자가 '템플턴'은 평소에 매입할 주식 리스트 (즉, 좋은 주식의 목록)와 목표 매수 단가를 메모해 놓고는 그 시점이 오면 바로 해당 주식을 사들였다고 한다. 한 인터뷰에서 그는 '하락장에서 다른 모든 이들이 주식을 매도할 때 혼자서만 매수하기 위해서는 불굴의 의지와 각고의 노력이 필요하다'라고 밝히기도 했는데, 역시 자신만의 굳은 소신을 갖고 다른 사람들과 반대로 행동하는 것은 주식 시장에서도 역시 매우 어려운 일이다. 하지만 이런 경우에도 '좋은 주식'에만 분산 투자한다면 최악의 상황을 피할 수 있을 것이며, 언젠가는 주가가 예전 수준을 훨씬 뛰어 넘는 호시절이 올 가능성이 높다 하겠다. 한편 어느 유명 투자가는 한때 사려고 마음 먹었었지만 주가가 목표 가격에 이르지 않아 매수하지 않은 주식의 가격이 하늘 높은 줄 모르고 솟구칠 때는 가슴이 쓰리기도 했지만 "아, 이 주식은 나와 인연이 아니로구나!"라고 생각하고는 더욱 더 주식 공부에 열중했다고 하니. 그의 말마따나 세상에 나와 인연이 깊은 사람도 있는 반면 인연이 아닌 사람 또한 있는 것처럼 자기와 인연이 없는 주식도 있기 마련이며, 어느 유행가 가사처럼 세상 모든 일을 다 잘 할 수는 없기에 세상의 모든 좋은 주식을 다 사모아 세상 모든 돈을 다 긁어 들일 수는 없는 일이라고 편하게 생각하고 넘겨야 할 것이다. 물론 이 또한 대단히 어려운 일임에 틀림없다.

언제 팔 것인가?

(앞서 언급한 데로) 주식을 매수하기에 가장 좋은 시점이 증시와 경기에 대한 '비관론'이 하늘을 찌를 때라면 이와 반대로 매도를 하기에 가장 좋은 때는 낙관론이 최고조에 달한 시점이 될 것이다. 하지만 이 역시 그 때가 언제일지는 도통 알 수 없는 노릇이기에 주식 전문가들은 신문에 '주가 사상 최고', '경기 전망 장미빛' 등의 헤드라인이 뜨는 것을 매도에 적극 나서야 할 신호로 해석한다고 한다. 또한 '카더라 통신'에 따르면 증시가 정점을 찍었다는 가장 정확한 시그널은 미국의 경우 구두닦이 소년이,

일본은 산지기들이, 그리고 중국에서는 소림사 승려들이 주식을 사기 시작할 때라고 하니. 이러한 우스개는 분명 이러한 직업을 가지신 분들을 무시하려는 의도가 아닌 직업의 특성상 주식과는 거리가 멀어도 한참 먼 분들까지도 주식에 관심을 쏟을 정도로 증시가 이상 과열되었다는 의미로 받아 들여야 할 것 같다. 그 누구도 그러지 않았던가, 전성기는 바로 정상에서 내려가야 하는 때라고.

이제 주식을 적기(適期)에 팔기 위해 반드시 실천해야 할 사항을 정리하고 결론으로 나아가도록 하자. 주식을 매입할 때 사고자 하는 주식의 리스트와 목표 단가를 메모해 놓고 그 시점이 오면 해당 주식을 사는 것과 같이 주식을 매도할 때도 역시 스스로 정한 이익율 혹은 손해율에 이르면 팔아 치우는 것이 정석이다. 이익률이야 (투자자 개인이 따르던 따르지 않던 간에) 은행 이자율이라는 좋은 기준이 있지만 손해율의 기준은 어떻게 정해야 할까? 이에 대해 올 2023년에 고인이 되신 투자의 귀재 '윌리엄 오닐(William O'Neil)'은 이른바 '3대1 법칙'을 제안하셨다. 이는 곧 이익 실현 폭과 손절매 폭의 비율을 3대

1로 정하고 반드시 지키라는 것이다. 예를 들어 9%의 수익이 발생할 때 매도한다는 원칙을 가지고 있다면 손절매 기준은 대략 3%선을 유지하고, 은행 이자율과 엇비슷한 3% 수준의 수익이 났을 때 팔기로 했다면 손절매는 1% 손해를 보면 바로 해야 한다는 것. 그 이유에 대한 '왜?'라는 필자의 우문(愚問)에 그는 이렇게 해야만 세 번의 투자를 실수해도 단 한번의 성공으로 손익을 만회할 수 있기 때문이라는 현답(賢答)을 내주셨다. 물론 이는 그의 아이디어 (혹은 제안)일 뿐 실제 기준은 각자가 정해야 할 것이고, 이보다 더 중요한 것은 이익을 보던 손해를 보던 반드시 이 규칙에 따라 실천해야 한다는 것. 물론 한 번 오른 주식은 더 오를 수도 있고, 한 번 내려간 주가가 다시 예전 수준을 회복 할 수도 있겠지만 결별해야 할 때 냉정하게 결별 하는 것이 최선은 아니더라도 최악의 상황을 피할 수 있다는 것을 반드시 명심하고 행동해야 할 것이다.

기회란 왔을 때 반드시 잡아야 하는 것! 특히 주식을 팔

때는 더더욱!

위의 그림은 르네상스 시대의 화가 '조반니 벨리니(Giovanni Bellini)'가 15세기 말에 그린 작품으로서, 제작 당시 작가가 제목을 붙이지 않아 '운명', '(그리스 신화에 등장하는 복수의 여신인) 네메시스' 등 다양한 이

름으로 불리고 있지만 '절호의 기회'라는 제목으로 가장 널리 알려져 있다. 미술전문가들에 따르면 그림 속의 여신은 기회, 우연, (좋은) 운세, 인연 등을 의미한다고 하는데, 그녀가 어디로 굴러갈 지 모르는 둥근 물체를 밟고 서있음은 물론 눈가리개를 하고서는 행운을 이리저리 뿌려대기에 무릇 성실한 자뿐만이 아니라 게으른 자, 선인(善人)이 아닌 악인 중에서도 잘 먹고 잘 사는 인간들이 생겨 난다고 한다 (마치 주식에 대해 아무 것도 모르는 사람이 순전히 운만으로 큰 돈을 벌 수도 있는 것 처럼...). 또한 그녀의 앞 머리카락은 위로 길게 뻗쳐 있지만 뒤통수는 매끈매끈한 민머리기에 그녀가 눈 앞에 있을 때 앞머리를 꽉 움켜 잡아야 하며, 그렇지 못하고 조금이라도 지나쳐 버리면 손이 미끄러지면서 절호의 기회를 놓치고 만단다. 즉, 기회 (혹은 행운)는 언제 어디서 올 지 알 수도 없고 또 눈 깜빡 할 사이에 스쳐 지나가기에 절대 망설이지 말고 바로 잡아야 한다는 것이다. 그렇다면 이 그림을 통해 우리가 얻을 수 있는 투자 상의 교훈은 무엇일까? 이는 바로 주식

매매를 할 때는 절호의 기회를 놓치지 말고 반드시 잡아야 한다는 것! 특히 사는 시점보다는 파는 시점의 기회가 훨씬 더 중요하다고 할 것이며, 그 이유는 아무리 비싸게 사도 그보다 더 비싸게 팔면 이익이고 아무리 싸게 사도 그보다 싸게 팔면 손해이기 때문이다.

마지막으로 기억해야 할 것은 행운의 여신은 엄청난 변덕쟁이라는 것이다. (그림 속의) 그녀는 양손에 물병을 하나씩 들고 있기에 "화(禍)와 복(福)은 마치 꼬아 놓은 새끼줄처럼 번갈아 오는 법"이라는 옛말처럼 하나를 제대로 건네 받는다 해도 다른 한쪽은 엎질러 질 수도 있는 것이다. 이와 같이 어쩌다 한 번 큰 행운을 잡아 많은 돈을 벌었다 할 지라도 다음 번에는 그런 대운이 오지 않거나, 심지어 실력을 발휘할 기회조차 없는 것이 인생이 아니겠는가. 이번에 잘했다고 방심 말고, 못했다고 실망 말며, 꾸준히 공부하고 투자하면서 다음 기회와 행운을 기다리는 것이 참다운 투자인의 자세가 아니고 무엇이랴.

여섯 번째. (투자에 대한 결정을 할 때는) 충동적이고도 섣부른 감정에서 벗어나라!

누군가에게 쫓겨 급박하게 동굴로 도망쳐온 여인 '메데이아(Medea)', 하얗게 날이 선 칼을 손에 쥔 그녀는 두 아

이를 위태롭게 안고 있다. 경계하는 눈빛으로 주위를 살피는 그녀의 품 안에서 공포에 질린 아이들이 발버둥 치는데...그녀는 과연 시시각각 다가오는 추격자를 따돌리고 자신과 아들들을 죽음의 위험으로부터 구해 낼 수 있을까? 아, 그런데 그들을 쫓아오는 추격자는 다름 아닌 그녀의 남편이자 아이들의 아버지였으니...

위의 그림은 19세기 프랑스 낭만주의 화단을 대표하는 '유진 들라크루아(Eugène Delacroix)'가 1838년에 그린 '메데이아의 분노(The Medea's fury)'라는 작품이 되겠다. 음, 그런데 고개가 조금 갸우뚱해진다. (그림 속) 그녀는 자신과 아이들을 쫓아오는 남편을 피해 도망치고 있는 중인데 어찌하여 그림 제목이 '메데이아의 도피'가 아니라 '메데이아의 분노'인 걸까. 아, 그런데 이 그림에 붙은 또 다른 제목을 보니 등골이 오싹해 지면서 그 이유를 알 것만 같다. 놀라지 마시라, 그 제목은 바로 '자식들을 살해하려는 메데이아(Medea about to kill her children)'이니. 그럼 여기서 그리스 신화에 등장하는 그녀와 그녀의 남편 "이아손(Iason, 영어로는 'Jason'이라고도 함)"에 관한 이야기를 잠시 꺼내 보도록 하자.

메데이아는 그리스 신화 속의 낙랑공주?

콜키스(Colchis) 왕국의 공주인 메데이아는 자국의 보물인 황금 양털을 훔치러 온 그리스의 영웅 이아손과 사랑에 빠져 그의 절도행각(?)을 돕는 것은 물론 가족과 조국을 배반하고 그리스로 건너가 이아손의 두 아이를 낳게 된다. 하지만 이 세상에 영원한 것은 없는 법, 곧 메데이아에게 싫증이 난 이아손은 다른 나라 공주와 사랑에 빠져 그녀에게 결별을 요구한다. 이에 격분한 메데이아는 (이아손의 부인이 될) 신부와 그녀의 아버지를 거짓으로 속여 불태워(!) 죽이고, 이아손에게 죽음보다 더 큰 고통을 주기 위해서 자신의 자식이기도 한 그의 아이들을 죽이기로 결심한다. 그리고는 "얼마나 보드라운 피부인가! 숨결은 어찌 이리도 사랑스러운가! 나는 내가 하려는 끔찍한

짓을 알고 있다. 그러나 내 열정이 결단을 지배하는구나!" 라고 외치며 칼을 휘두른다. 이아손이 그들을 찾았을 때 아이들은 이미 그녀의 손에 싸늘한 주검이 되어 있었으니. 약혼녀와 두 아들이 모두 죽임을 당하자 그만 낙담해 버린 이아손은 홀로 배를 타고 바다로 나가 죽었다고 한다 (혹은 그가 콜키스 원정에 사용했던 아르고호의 잔해에 깔려 죽었다고도 한다). 그렇다면 사랑 때문에 조국을 배신했다가 죽임을 당한 낙랑공주의 서양 버전인 메데이아는 어떻게 됐을까? 그녀에게 일어난 뜻밖의 반전은 이 장의 결론 부분에 소개하도록 하고, 먼저 이들이 우리에게 전해주는 교훈을 먼저 들여다 보도록 하자.

그리스 신화 속에 등장하는 이 이야기에서 우리는 차가운 이성을 잃고 한 순간 불타 오르는 감정에 굴복해 깊은 불행에 빠져버린 두 남녀를 발견할 수 있다. 먼저 이아손. 황금 양털을 손에 넣기 위해 메데이아를 이용한 것도 모자라 권력을 얻기 위해 또 다른 공주와 결혼하려 한 것은 전형적인 '나쁜 남자'의 전략적(?) 행동일지도 모르지만, 자신을 위해 조국과 가족마저 져버린 메데이아에게 매몰차게 결별을 통보한 건 감정에 너무 심하게 치우친 행위로 보인다. 그보다는 오히려 그녀에게 큰 반대급부를 주면서 잘 다독여야 하지 않았을까. 즉, 당시 그리스에서 가능했을지는 모르지만 두 아들 중 한 명은 그녀가 데리고 가게 하던가, 혹은 그리스에서 추방당하는 대가로 금은보화를 잔뜩 쥐어주던지 말이다. 다음은 메데이아. 어느 유행가 가사처럼 사랑은 죄가 아닐 지도 모르지만 한 남자에게 반해 그의 도둑질에 적극 협조하고, 부모와 조국을 배신한 것도 모자라 동생마저 살해한 그녀의 감정적인 행동은 용서하기 힘들다. 또한 비록 잘못은 (그녀를 배신한) 이아손이 먼저 했지만 그에게 죽음보다 더한 고통을 안겨주기 위해서 자신의 피붙이기도 한 두 아들을 살해한 것은 비록 신화 속 이야기라도 진정 천인공노(天人共怒) 할 행태가 아닐 수 없다. 만일 그녀가 감정보다는 이성에 의지해 이아손과 합의(?) 이혼한 후 많은 재산을 챙겨 (자식 중) 한 아이를 데리고 먼 곳으로 이주했다면 어땠을까?

감정에 휩쓸려 모든 것을 잃어버린 러시아의 황제 'Ivan the Terrible(이반뇌제)'

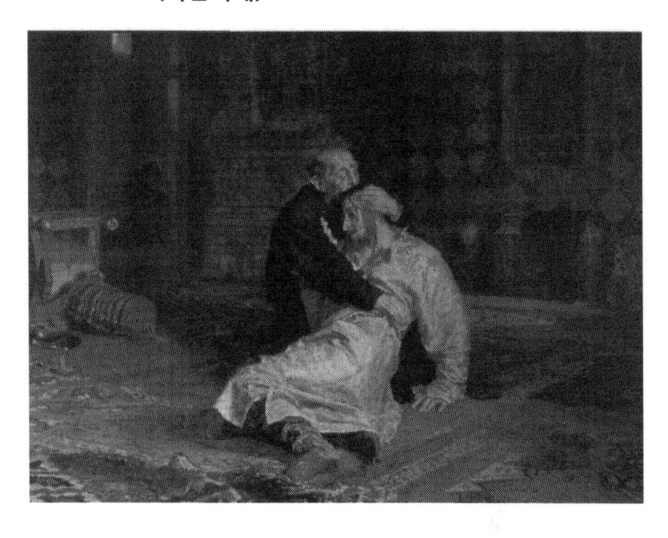

황제의 방에서 황제와 황태자 사이에 오가는 고함과 욕설이 요란하게 들려온다. 의자가 뒤집히는 소리, 발을 구르는 소리, 사람이 쓰러지는 듯한 쿵 하는 둔중한 울림. 그 뒤로는 아무 소리도 나지 않는다. 신하들은 언제 또 고함이 울려올까 기다리고 있지만 기묘한 정적만이 계속될 뿐이다. 사람들은 서로를 쳐다보다가 조심조심 방문으로

다가가 귀를 기울인다. 아무 소리도 들리지 않는다. 신하한 사람이 용기를 내어 촛대를 높이 들고는 문을 슬그머니 연다. 어둑한 방안을 촛불이 살아 있는 동물처럼 기어가 닿은 곳에는 이런 광경이 펼쳐진다.

(나가노 교코 저, '무서운 그림'에서 발췌)

위 그림은 러시아 사실주의 회화의 거장 '일랴 레핀(Ilya Repin)'이 1885년에 그린 '1581년 11월16일, 러시아의 황제 이반뇌제(Ivan the Terrible)와 그의 아들'이라는 작품이 되겠다. 흠, 그런데 그 날 둘 간에 대체 무슨 일이 있었길래 황제는 피투성이가 된 황태자를 완전히 넋이 나간 표정으로 품에 안고 있는 것일까? 이반뇌제는 '차르'라는 명칭을 러시아 최초로 사용한 것은 물론 중앙 집권 강화, 세금 감면, 영토 확장 등 수많은 업적을 남겼지만, 시기와 의심이 많았던 성격이 점점 악화되어 노년에는 난데없이 울컥하는 일이 잦아지면서 노예건 신하건 자식이건 간에 자기 마음에 들지 않으면 지팡이로 흠씬 두들겨 팼다고(!) 한다. 그러던 어느 날, 임신한 황태자비가 몸에 불편을 느껴 간편한 차림으로 왕실 행사에 참석했는데, 이에 격분한 황제는 그녀에게 지팡이를 휘둘러 그만 유산을 시키고 말았으니. 그러자 황태자가 그에게 강하게 불만을 토로했고, 또 다시 한껏 빡쳐(?)버린 황제는 자신도 모르는 광기에 휩싸여 지팡이를 미친 듯 휘둘러 댔는데...그가 정신을 차렸을 때는 이미 황태자가 숨을 거둔 후였다고 한다. 이 그림은 이반뇌제가 자신의 아들을 살해한 바로 그 날 그 장소를 묘사한 작품으로서, 제 자식을 죽였다는 충격을 견딜 수 없었던지 황제 역시 2년 후에 사망하고 만다.

몇몇 역사가들은 이반뇌제가 황태자를 죽게 한 것은 사실이지만 이는 국정 운영과 관련된 시각 차에서 기인한 부자(父子)간의 불화 때문이지 황제의 정신병적인 폭력 때문은 아니라고 주장한다. 그러나 러시아에서는 날짜와 장소까지 구체적으로 명시된 위의 이야기가 야사와 전설을 통해 현재까지도 전해 내려오고 있어 대다수의 (러시아) 국민들은 이를 사실로 믿고 있다고 하니. 위 그림 속 내용의 역사적인 진위와는 상관없이 젊은 시절의 이반뇌제는 비록 폭군이었음에도 능력 있는 왕이었건만 점점 더 의심이 많아지면서 무려 4천 명에 달하는 정적을 처형하였고, 결국 자신의 감정을 주체하지 못하고 자식을 살해한 것에 더해 결과적으로는 자신마저 죽음에 이르게 하였다. 그의 이러한 광기 때문에 이반뇌제가 속한 '류리크 왕조'는 결국 그의 다음 대에 완전히 대가 끊기고 말았다.

투자에서도 감정적인 판단과 행동은 절대 금물이다!

Making investment decisions based on emotions such as fear, greed, or panic can lead to poor choices and ultimately result in financial loses (두려움, 탐욕, 조급함에 이끌린 투자는 잘못될 가능성이 큰은 물론 결과적으로 큰 손해를 불러 일으킬 것이다).

출처를 알 수 없는 투자와 관련된 위의 명언, 아마 여러분들께서도 최소한 한번쯤은 다들 들어보셨을 것이다. 앞서 소개한 두 개의 일화에서 살펴 본 것처럼 차가운 이성이 아닌 격정적인 감정에 휩싸여 저지른 행위는 주위 사람은 물론 자신마저 파멸시킬 수 있으며, 이는 당연히 투자에도 적용된다 하겠다. 이런 불행한 사태를 피하기 위해서는 주식을 살 때와 팔 때 모두 스트레스, 두려움, 탐욕, 흥분 등과 같은 감정의 개입을 최소화하는 것이 반드시 필요하다 할 것이다. 즉, 자신의 감정과 투자에 대한 결정을 완전히 분리시켜 이른바 '묻지마 투자'의 광풍에 휩싸이지 말아야 할 것이며, 만일 지름신에게 이끌려 이미 너무 크게 질러버렸다면 이제라도 또 다른 광기에 휩싸여 무조건 팔아 젖히는 감정적인 행동은 피해야만 할 것이다. 그러기 위해서는 (앞서 설명한 것처럼) 평소에 매입하겠다고 마음 먹은 주식 리스트와 목표 매수 단가를 메모해 놓고 그 시점이 오면 예산에 맞게 해당 주식을 사들이고, 주식을 매도할 때도 역시 스스로 정한 이익율 혹은 손해율에 이르면 파는 원칙을 지켜야 한다. 물론 20세기 초반의 대공황이나 1980년대의 블랙 프라이데이와 같은 대규모 폭락 사태가 일어 날 수도 있겠지만 여러분들도 잘 아시다시피 어차피 경기는 순환하는 것이 아니겠는가. 싸구려 쓰레기 주식이 아닌 '좋은 주식'은 어차피 언젠가는 다시 반등할 가능성이 높기에 이미 질러버렸다면 조급하게 팔아 치우는 것보다 차가운 이성에 기대 자신이 설정한 기준에 따라 적절한 매도 타이밍을 기다리는 것이 훨씬 더 현명하다 할 것이다. 당연히 이것이 쉬울 리 없다. 하지만 이 순간 우리는 얼마 전 작고한 모 정치가의 명언인 "참지 못할 것을 참아 내는 것이 진정한 인내다"라는 말에 귀 기울이며 최악의 상황에서도 감정적 결정을 최대한 피해 우리의 자산을 반드시 지켜내도록 하자.

이성이 잠들면 괴물이 깨어난다!

자, 여기서 다시 메데이아의 이야기로 돌아가 보도록 하자. 자신의 손으로 직접 두 아이를 하늘나라로 보낸 메데이아는 한 때 사랑했던 남자의 망연자실한 표정을 보더니 "우리의 결혼을 배신한 당신이 나를 조롱거리로 삼으면서 행복하게 살아갈 수 있으리라 생각한다면 큰 오산이야! 내 아이들아, 너희 아비의 죄가 너희를 죽인 것이다!" 라고 소리치고는 용이 끄는 수레에 올라 다른 나라로 가서 그곳의 왕과 결혼했다고 한다. 이아손의 비극적인 죽음과 대조적인 그녀의 이러한 행보에 대해 몇몇 고전 전문가들은 옛사랑에 오랫동안 집착하는 남자와는 달리 지나간 사랑을 금방 잊어버리는 여자의 성향적인 특징을 반영한 것이라 해석하기도 하지만, 이는 신화 속 이야기 일뿐 현실이라면 자신의 감정적인 행동을 뼈저리게 후회하며 이반뇌제와 같은 비극적인 결말을 맞이하지 않았을까.

이제 앞서 몇 차례 소개했었던 프란시스 고야의 또 다른 그림을 끝으로 이 장을 마무리하도록 하자. 이번에 소개할 작품은 '이성이 잠들면 악마가 깨어난다'라는 그림이 되겠다. (아래에서 보시는 바와 같이) 책상에 엎드려 곤히 자고 있는 남자의 바로 뒤에서 올빼미와 박쥐 등 밤을 지배하는 짐승들이 훨훨 날아다닌다. 이들이 잠든 남자에게 점점 더 가까이 날아들고 있는 가운데 의자 뒤의 살쾡이는 그를 뚫어지듯 응시하고 있지만 남자는 주변의 존재들을 전혀 알아차리지 못하고 완전히 곯아 떨어져 있으니. 한편 그림 앞쪽에는 묘비같이 생긴 석판이 하나 있는데, 거기에는 이렇게 씌어져 있다. 'El sueno de la razon produce monstrous (이성이 잠들면 괴물이 깨어난다)'. 그렇다면 고야가 이 그림을 통해 전하고 싶은 이야기는 이런 것이 아닐까. 두려움, 탐욕, 조급함, 스트레스, 흥분 등 인간이 주체하기 어려운 갖가지 감정들은 우리의 이성이 잠들기만을 기다려 박쥐, 올빼미, 살쾡이와 같은 괴물의 모습을 하고서는 인간을 지배하려 한다고 말이다. 따라서 이러한 감정들에 의해 압도당하지 않으려면 항상 깨어 있어야 한다고. 24시간 내내 그렇게 하진 못하더라도 최소한 투자할 때 만이라도.

일곱 번째. 남들이 잘 주목하지 않는 주식을 발굴해서 투자하라!

폴 뒤랑 뤼엘(Paul Durand-Ruel, 1831-1922). 간혹 그를 아시는 분도 있겠지만 아마 대부분의 독자들에게는 매우 낯선 이름이리라. 그는 19세기 프랑스 파리를 주름 잡았던 미술상(美術商)이었던 동시에 마네, 드가, 모네, 르느와르 등 소위 '인상파'라 불리는 화가들을 발굴하고 길러낸 탁월한 예술적 안목을 지닌 인물이기도 했다. 현재는 경쾌한 붓 놀림과 밝은 색채로 널리 사랑 받는 그들의 그림이지만, 당시에는 좀 심하게 말해서 '잡동사니' 혹은 '불량품' 취급을 받던 인상파 작품의 진가를 알아보고 바야흐로 그들의 시대를 열어 젖힌 그였으니.

혹평이란 혹평은 죄다 받았던 인상파 화가들

요즘 백과사전들은 인상주의(印象主義, Impressionism)에 대해 "1860년대부터 프랑스에서 생겨난 회화 운동으로서, 주제보다 감각, 형태보다 인상을 중시한다. 물감은 혼합하지 않고 밝은 색채와 분방하고 매력적인 터치 (붓질의 흔적)를 남겨 빛으로 가득한 자연을 찬미한 것이 특징이다"라고 정의하고들 있지만 이들이 처음 등장한 19세기 중반에는 사정이 달라도 아주 많이 달랐다. 특히 (아래에서 보시는) 인상주의라는 명칭의 유래가 된 모네가 그린 그림 '인상 : 해돋이'를 보고서 모든 언론과 미술 비평가들은 "고양이가 앞발로 괴발개발 그린 낙서", "벽지라도 이 그림보다는 나을 것", "필시 이 그림에는 인상(Impression)이 듬뿍 담겨 있을 것"이라 비꼬는 등 혹평이란 혹평은 죄다 퍼부어 댔으니.

그렇다면 우리가 보기에는 아름답고 우아하기만 한 이들의 그림은 왜 이토록 심하게 매도 당한 것일까? 그 이유는 바로 당시에는 사진처럼 사실적인 그림을 선호했기에 제대로 된 미술 작품이 되려면 사물과 사실을 정확히 묘사해야만 했기 때문이었다. 또한 19세기 중반의 회화는 데생과 피니(Fini)라는 붓 자국을 지우는 마무리 작업을 기본으로 여겼는데, 붓 자국이 선명하다 못해 덕지덕지 묻어있는 듯한 '인상'마저 주는 인상주의 그림은 회화의 기본도 모르는 어설픈 초보 예술가들이 끄적거린 낙서에 불과하다는 평가를 받았던 것. 이 같은 혹평에 반발한 인상파 화가들이 그들만의 전시회를 열자 이번엔 신문 만평에 임산부가 인상파 그림을 보고서 충격 받을까 봐 경찰이 전시회 출입구를 막고 있거나 혹은 전쟁터에서 군인이 적에게 총칼 대신 인상파 그림을 들이대는 삽화가 실리기까지 했다니, 그 당시 인상주의 그림에 대한 평가가 얼마나 가혹했는지 알만하다.

인상파의 진가를 단번에 알아본 뒤랑 뤼엘

하지만 이렇듯 격렬한 혹평을 쏟아낸 언론과 미술 전문가들과는 달리 일반인들은 인상주의 회화가 너무 기발해서 이해하기 어렵기도 하지만 어딘지 모르게 매력이 있다고 느끼며 차츰 마음을 열게 된다. 그리고 인상파 화가들과 친밀한 관계를 유지하며 이들의 화풍을 열렬히 옹호했던 당대의 대문호 '에밀 졸라'같은 예술가들 덕에 대중적인 인기도 점점 올라 갔고 말이다. 이와 비슷한 즈음 인상파의 그림을 보게 된 뒤랑 뤼엘 역시 마음 속으로 강한 확신을 품게 된다. 기성 권위와 미학에 저항하는 이들의 작품이 새로운 시대를 열 것임을. 또한 '라 벨르 에뽀그(La Belle Époque, 19세기 말부터 1914년 제1차 세계대전 발발까지 프랑스가 사회, 경제, 기술, 예술, 정치적 발전으로 번성했던 시대)'를 대표하는 인상파의 밝은 색채와 매력적인 붓 터치가 미래를 지배할 것임을. 그리하여 그는 인상파 화가들의 개인 화보집 출판과 전시회 개최를 후원하는 한편 그들의 그림을 고급스러워 보이는 금테 액자에 넣어 카브리올 레그(Cabriole leg, 다리가 우아한 S자 곡선을 그리는 화려한 가구)와 함께 전시함으로써 이 그림들이 (유럽) 신흥 부유층 계급에 잘 어울리는 고급 인테리어의 한 부분임을 강하게 어필했고, 여기서 한 발 더 나아가 (미국) 남북전쟁 이후 철도, 석유, 철강 등 다양한 분야에서 출현한 미국 신흥 거부들에게 인상주의 회화를 프랑스 귀족 예술로 포장해 엄청난 고가에 팔아 치움으로써 바야흐로 본격적인 '인상파의 시대'를 열게 된다.

쓰레기 속에 숨어있는 보석 같은 주식을 발굴하기 위해서는 어떻게 해야 할까?

그렇다면 이제 이 책의 주제로 다시 돌아가서, 모두가 가혹한 혹평을 퍼부어댄 인상파 그림의 진가를 간파하여 시대를 대표하는 미술 사조로 거듭 나게 한 뒤랑 뤼엘과 마찬가지로 아무도 눈 여겨 보지 않는 숨겨진 주식을 어떻게 발굴해서 수익을 한 가득 거둘 수 있을지 알아 보도록 하자.

一. 버릴 주식 걸러내기

'경영'이란 무엇인가에 대한 이 밑도 끝도 없는 뜬금없는 질문에 대해 일본의 한 스타 경영인은 "반드시 해야 될 일이 아닌, 해서는 안될 일을 먼저 파악해서 하지 않는 것이 바로 경영"이라는 명언을 남겼다. 즉, '해서는 안될 사업'을 먼저 선별해 내는 것으로부터 시작해서 공금 횡령, 세금 포탈, 분식 회계 등 회사 조직원으로서는 물론 한 자연인으로서도 해서는 안될 일들을 파악하고 하지 않는 것이 바로 경영의 시작이라는 것이다. 투자의 귀재로 불리는 미국 스탠포드 대학의 '조셉 피오트로스키(Joseph Piotroski)' 교수가 이 명언을 들으셨는지는 모르겠지만 그 역시 재무적으로 부실한 회사들의 주식을 투자 대상에서 제일 먼저 제외함으로써 수익률을 향상시킬 수 있는 '피오트로스키 솔루션'을 만들어 냈다. 이는 한마디로 사야 할 주식이 아닌 사지 말아야 할 주식을 먼저 파악하여 후보군에서 완전히 제외시켜 버린 것. 좀 더 구체적으로 들어가 보면, 그는 기업의 수익성, 자본 조달 및 레버리지 사용의 안전성, 영업 효율성 등의 3가지 부문에서 총 9가지

기준을 적용해 주식을 종합 평가하여 최하위군에 속한 주식은 검토 대상에서 빼버렸다는 것이다. 흠, 이는 마치 여러 대기업에서 임원 승진자를 선발할 때 활용하는 방법과도 유사하다고 할 수 있는데, 이들 회사에서는 (임원) 될 사람을 추려 뽑는 게 아니라 업무 성과, 인성, 사생활 등에서 심각한 결격 사유가 있는 대상자를 제일 먼저 후보군에서 제외해 버린다고 한다. 이 방법을 투자에 상세 적용하는 방식은 각 투자자마다 다르겠지만, 여느 투자자던간에 이 방법을 통해 제일 먼저 우선적으로 버려야 할 산업군과 회사를 선별해 낼 수 있을 것이다.

二. 'Top-down 방식'을 통한 구체적인 산업 및 종목 정하기

1차 스크리닝을 통해 버려야 할 산업과 종목을 1차로 걸러냈다면 이제는 남은 후보군 중에서 투자할 산업과 종목을 결정해야 할 것이며, 당연히 종목보다는 (그 종목이 속한) 산업을 정하는 것이 우선이다. 만일 자신이 몸 담고 있는 회사가 점점 망해가고 있다면 아무리 열심히 일을 해도 미래가 보이지 않는 것과 마찬가지로 아무리 지금 당장 이익을 많이 내는 회사라 해도 (소속) 산업의 전망이 암울하다면 언제 어느 때 와르르~하며 사업이 무너질지 모르기 때문이다. 따라서 기업의 내재적인 가치보다는 시장과 업황을 우선적으로 파악하여 잠시 반짝하고 사라질 산업인지, 아니면 10년 이상 지속 발전 가능한 산업인지부터 판단해야 할 것이다. 그리고 그 다음으로는 'Top(산업)-down(기업) 방식'의 흐름에 따라 구체적인 종목 (혹은 기업) 분석으로 넘어가야 할 것이고.

가장 이상적이면서도 안정적인 기업, 즉 우리가 투자금을 쏟아 부어야 할 주식을 보유한 기업은 수년에 걸쳐 영업에서 큰 흑자를 기록하였음은 물론 그 중 일부로는 미래를 위한 투자를 하고 그 나머지로는 빚을 갚거나 배당을 하는 기업일 것인바, 이러한 기업들이 가진 보편적인 특징은 아래와 같다고 할 수 있다.

① 누구라도 이해하기 쉽고 단순한 사업 모델 보유

(거진 100년을 이어온 해장국 집의 메뉴는 해장국 단 하나, 반면 여느 역전 앞 음식점의 메뉴는 과장 조금 섞어서 무한대...)

② (경쟁사와 비교해서) 경쟁 우위를 갖는 기술/생산성/사내 인프라/원가경쟁력/자금력 등 보유

③ 유형자산뿐 아닌 기술 특허, 브랜드와 같은 무형자산으로도 이익 창출

④ 시황이 나빠져도 최소한의 이익을 구현할 수 있는 사업구조 보유

⑤ 높은 배당금 지급율 및 낮은 부채율

⑥ 원만한 노사 관계 및 낮은 이직율

⑦ 상대적으로 높은 ROE(Return on equity), 저평가된 PER, PBR 등의 가치 지표

위와 같은 객관적인 수치를 통해 1차 선별된 기업을 대상으로 (증권회사 등에서 발행한) 보다 더 심화된 기업 분석 보고서를 탐독하는 동시에 지인 혹은 직접

탐방 등을 통해 추가 정보를 얻어 실제로 투자할 기업을 골라 투자하면 되지 않을까?

三. 너무 복잡한가? 그럼 이건 어떠신가?

지금까지 1차로 걸러 내야 할 산업과 주식, 그리고 투자할 주식을 선별하는 방법에 대해 소개했는데, 아마도 몇몇 독자분들께서는 그 과정이 글로 써놓기는 쉬울 지 몰라도 실제 실행하기는 너무 어렵고, 게다가 그 모든 과정을 거치는데 소요되는 시간이 너무 길 것 같다면서 이 책을 확(!) 하고 그냥 덮어 버릴 수도 있을 것 같다. 그렇다면 위에 설명한 방법들을 모두 제껴 놓고 우리네 일상 생활에서 아주 쉽게 그 방법을 찾아보면 어떨까? 즉, 만일 모 식품회사에서 생산 및 판매하는 호빵을 즐겨 먹는다면 이 제품이 실제로 팔리는 곳에 가서 직접 판매 상황을 확인해 보는 동시에 회사와 주식에 대한 정보 역시 별도로 파악해 보는 것이다. 이는 어떤 측면에서 적잖이 유치한 것 같기도 하지만 '피터 린치'와 같은 가치 투자자들 역시 할인점이나 백화점에 방문해서 자신의 가족 혹은 다른 고객들이 어떤 상품을 사는지 유심히 살펴본 후 날개 돋친 듯 팔리는 제품을 만든 회사를 심층 조사 및 분석한 후에 투자를 한다고 하지 않던가. 그리고 또 다른 유명 투자가 역시 엔터테인먼트 관련 주식을 사기 전에는 반드시 그 회사에서 만든 노래나 영화를 직접 듣거나 체험한 후에 산다고 하니, 이는 유치하다기보다 오히려 투자의 핵심을 제대로 짚고서 투자를 실행하는 것이라 할 수 있을 것이다.

위와 같이 우리네 일상 생활을 통한 주식 발굴에 더해 (평일 중) 하루의 가장 많은 시간을 보내는 직장에서 얻은 지식 혹은 경험을 통해서도 투자에 적격인 종목을 발굴 할 수도 있을 것이다. 이른바 투자란 돈을 잘 벌거나 혹은 앞으로 잘 벌 가망이 있는 기업을 찾아 '돈 넣고 돈 먹는' 작업이기에 대학에서 관련 부문을 전공한 것은 물론 현재도 그 부문에 종사하면서 자신이 가장 최고 전문가라 자부할 수 있는 산업 및 종목을 선택해서 투자 하는 것이 당연히 투자 성공률을 높여 준다고 하겠다. 만일 생명공학을 전공하고 오랜 동안 관련 부문에 종사하고 있다면 당연히 제약/바이오 부문에 투자하는 것이 유리할 것이고, 자동차 조립 라인에서 매일같이 일하는 노동자라면 자동차 산업은 물론 그의 전방(Upstream)-후방(Downstream) 산업에 대해 살아있는 지식을 보유하고 있을 가능성이 높기에 이러한 정보에 대한 통로가 원천적으로 봉쇄된 일반인은 물론 사무실에 틀어박혀 모니터 안의 차트만 바라보며 손가락만 튕겨대는 소위 투자전문가라 불리는 사람들보다 훨씬 빠르고 정확한 정보를 입수하여 투자에 활용할 수 있을 것이다. 결론적으로, (이 책의 전편에서 소개한 것과 같이) "잘 아는 보리장사가 잘 모르는 쌀 장사보다 훨~ 나은" 법이다. 하지만 여기서 한 가지 반드시(!) 유의할 점은, 앞서 언급한 "It ain't what you don't know that gets you into trouble. It's what you know for sure that just ain't so(잘 몰라서 투자에 실패하는 것이 아니라 잘 안다는 착각 때문에 투자에 실패한다)"라는 미국 작가 'Mark Twain(마크 트웨인)'의 격언처럼 종목 선택을 할 때 가장 경계해야 하는 것 중 하나가 자신이 어떤 분야에 대한 전문가라고 과신하는 오만 (혹은 자만심)이기에 자신이 확실하다고 생각하는 정보라도 한번 더 확인하고 검증하는 자세가 꼭 필요하다고 하겠다.

투자의 진정한 승리자는 실제로 투자를 행동에 옮기는 자!

자, 이제 다시 인상주의 이야기로 돌아가 보도록 하자. 인상주의는 회화가 상업적으로 이용되는 시대의 막을 연, 말하자면 '근대의 총아'였다. 또한 인상주의의 발현과 함께 공립 미술관이 점차 늘어나고 누구나 가벼운 마음으로 회화를 감상할 수 있게 됨은 물론 여기서 한 발 더 나아가 '사회의 규범'이 되는 예술인 '고전'을 한 물 간 구시대의 산물로 추락시켜 버렸다. 그리하여 전문가들의 극찬을 받는 그림이 아닌 보통 사람들에게 진정으로 사랑 받는 그림이 걸작으로 여겨지게 된 시대를 열어 젖혔던 것이다. 이는 마치 오늘날 오페라 가수가 아닌 뮤지컬 배우가, 혹은 클래식 연주가가 아닌 팝 가수가 대중의 우상으로 추앙 받고 있는 것과 마찬가지라 하겠다. 한 마디로 인상주의 그림의 특징인 밝고 화사한 화면, 아무 생각을 하지 않아도 기분 좋은 분위기, 그림에 대한 아무런 지식이 없어도 즐길 수 있는 화풍이 21세기에도 평론가는 물론 일반인들의 압도적인 지지를 받고 있다는 것이다. 이러한 인상주의 회화를 발굴한 '뒤랑 뤼엘'은 이들 그림이 인기를 얻기까지 무려 20여 년 동안 수 차례의 파산 위기를 극복하며 큰 명예와 부를 누렸음은 물론 이제는 명실상부한 '인상주의의 창조자'라고 불리고 있으니.

하지만 필자의 생각에 인상주의의 가장 큰 수혜자요, 진정한 승리자는 이들 그림을 사들인 미국 (혹은 미국인) 일 것 같다. 왜냐하면 (아래에서 보시는) 르누와르의 '샤르팡티에 부인과 아이들'과 '뱃놀이를 하는 사람들의 점심', 모네가 그린 '양산을 쓴 여인', 마네의

'철도' 등과 같은 한 점당 수 천억 원을 호가하는 인상주의 그림들이 현재는 대부분 미국에 있기 때문이다. 이들 회화들의 드높은 미술적 가치나 거래되는 가격은 말할 것도 없고 이 같은 품격 있는 예술품을 보유함으로써 (유럽과 비교해 한 수 아래로 평가 받던) 미국의 예술-문화 수준은 이제 대서양 건너편 그들의 조상 나라들의 그것을 훌쩍 넘어서기에 이르렀으니. 흠, 그렇다면 예술 작품은 물론 (주식) 투자에 있어서도 가장 중요한 것은 작품 혹은 종목을 발굴하고 추천하는 것이 아닌 실제로 작품이나 주식을 사들이는 실질적인 투자 (행위)가 아닐까? 즉, 단순한 발굴보다 그것에 실제로 투자하고 수익을 거두어 들이는 것이 훨씬 더 가치 있는 행동이라는 것. 당연히 그 전에 그 누구도 주목하지 않던, 어딘 가에 숨겨진 다이아몬드 같은 종목을 발굴해 내는 것이 우선이겠지만 말이다. 아, 그건 그렇고 아래 그림에 등장한 귀부인과 아이들, 정말로 부티가 좔좔 넘쳐 흐르지 않는가? 그림 속 주인공인 그녀 혹은 (그녀의) 남편, 혹은 그들의 조상이 분명 그 누구도 발견해내지 못한 숨겨진 사업 (혹은 투자거리)을 찾아내 큰 부를 일구었을 것만 같다. 흠, 그렇다면 우리라고 또 못할 건 뭔가? ^^.

* 실제로 그녀의 남편은 부모로부터 대형 출판사를 물려받아 운영했다고 한다.

여덟 번째. 폭망을 부르는 나쁜 투자 습관을 뿌리 뽑아라!

'그리스-로마 신화'에 등장하는 수많은 신화 중에는 우리에게 익히 알려진 이야기뿐 아니라 이를 불러 일으킨 복선이 살짝~ 숨겨져 있는 경우가 많은데, 아래 그림 (피테르 브뤼헐 작, 1558년 경)의 주인공인 '이카루스(Icarus)'가 등장하는 신화 역시 이에 해당된다고 하겠다 (그런데 그림에서 '이카루스'가 보이지 않는다고? 음, 빛나는 날개를 휘날리며 태양을 향해 훨훨~ 날아가는 장면을 기대하셨다면 조금 실망스럽겠지만, 그림 우측 하단에 보이는 바다 속으로 가라앉고 있는 다리의 주인이 바로 이카루스다...).

보통 우리는 이카루스를 그의 아버지인 '다이달로스(Daedalus)'가 자신이 만든 날개를 건네주며 "너무 높이 날면 태양열 때문에 날개의 밀랍이 녹고, 너무 낮게 날면 바다의 물보라에 날개가 젖어 무거워지니 각별히 조심하여라!"라고 한 충고를 깡그리 무시하고는 자기 멋대로 태양을 향해 날아 오르다가 죽은 철부지 패륜아(?)로 기억하고 있지만, 그가 비극적인 죽음을 맞이하게 된 데에는 우리에게 잘 알려지지 않은 사연이 하나 숨어 있다. 본래 그리스에서 아주 유명한 건축가이자 발명가였던 다이달로스는 제자인 페르딕스(Perdix)가 자신의 실력을 훌쩍~ 뛰어넘자 질투심을 이기지 못하고 그를 살해하였고, 이에 대한 벌로 크레타섬으로 추방되어 미노스왕의 부하가 되었으니. 살인을 저지른 중죄인임에도 그 곳에서 맘껏 재능을 발휘하던 그는 '미노타우로스 (Minotauras)'라는 괴물을 처치하러 온 아테네의 왕자 '테세우스(Theseus)'를 몰래 도와 주는 바람에 왕의 미움을 사게 되었는데, 그 결과 아들인 이카루스와 함께 높은 탑 안에 감금되고 말았다. 하지만 그가 누구이런가, 성깔은 좀 못 됐지만 한 때 그리스 최고의 발명가가 아니었던가! 매일 매일 그 곳을 탈출할 묘안을 짜내고 또 짜내던 그는 마침내 자신의 기술을 십분 발휘해 하늘을 날 수 있는 날개를 만들어 낸다. 그리고 이카루스는 그 날개를 달고 태양을 향해 높이 날아오르다가 바다에 떨어져 죽은 것이고. 결론적으로 다이달로스가 자신의 제자를 살해하지 않았거나 왕의 미움을 사지만 않았더라면 그의 아들인 이카루스가 크레타섬에 있을 이유도, 높은 탑 안에 갇힐 이유도, 그리고 섬을 탈출하기 위해 날개를 달고 하늘 높이 날아오를 이유도 전혀 없었다는 것이다. 음, 그렇다면 그는 부모 말을 안 듣고 제멋대로 굴던 치기 어린 패륜아라기보다는 오히려 타인의 잘못으로 억울하게 희생된 불쌍한 영혼이라고 해야 맞지 않을까.

우리에게 잘 알려지지 않은 복선이 메인 스토리 뒤에 슬그머니~ 숨어 있는 것은 (귀스타브 모로의 1864년 작인 위 그림에 등장하는) '오이디푸스(Oedipus)'와 관련된 신화 역시 마찬가지다. 보통 그와 관련된 이야기는 테베의 왕이자 그의 아버지인 '라이오스(Laius)'가 자신의 아들에게 살해될 것이라는 신탁을 듣게 되면서부터 시작된다. 이에 기겁한 라이오스는 당시 갓난 아기였던 오이디푸스를 양치기에게 건네며 죽이라고 하지만...그의 의도와는 달리 오이디푸스는 용케 살아남아 코린토스의 왕자가 된다. 그 후 장성한 오이디푸스는 좁은 골목에서 우연히 라이오스를 만나게 되는데, 상대방의 정체를 전혀 모르는 상태에서 서로 먼저 지나가겠다며 다투던 중 그는 생부(生父)인 라이오스를 살해하게 된다. 그리고는 (위의 그림에 등장한 괴물인) 스핑크스를 없애 영웅이 된 오이디푸스는 테베의 왕비 '이오카스테(Iocaste)'와 결혼해 제왕의 자리에 오르니. 그 후 오랜 동안 선정을 베풀며 아름다운 왕비 및 많은 자식들과 함께 행복한 나날을 보내던 그는 나라 안에 창궐

하는 역병의 원인이 (그의 생부이면서 테베의 왕이었던) 라이오스를 죽인 자신 때문이라는 것과 지금의 아내가 자신의 생모라는 경천동지(驚天動地)할 사실을 마침내 알게 되고…"나라는 사람은 태어나선 안 되는 부모에게서 태어났고, 결혼해선 안 되는 사람과 결혼했으며, 죽여서는 안 되는 사람을 죽였구나!"라는, 한국 막장 드라마에서 흔히 들을 수 있는 독백을 읊조리더니 스스로 자신의 두 눈을 뽑고 딸들 (혹은 그의 누이동생들)과 함께 세상을 떠돌다 아테네에서 죽음을 맞이한다 (모친은 그에 앞서 자살…). 음, 하지만 앞서 언급한 것처럼 이것이 오이디프스와 관련된 신화의 전부는 아니고 그가 겪어야만 했던 비극의 프리퀄(Prequel, 전편보다 시간상으로 앞선 이야기를 보여주는 속편)이 존재하며, 그 이야기는 라이오스의 청년 시절부터 시작된다. 한 때 정적을 피해 피사의 왕인 펠롭스(Pelops)에게 몸을 의탁했던 그는 펠롭스의 아들이자 천하 제일의 미남으로 명성이 자자했던 '크리시포스(Chrysippus)'에게 반해 그를 성폭행했고, 이에 수치심을 견딜 수 없었던 크리시포스가 그만 자살하고 말았던 것 (또 다른 전승에는 동성 성폭행을 하려다 실패한 라이오스가 분노를 참지 못해 크리시포스를 살해했다고도 한다). 그러자 잔인한 것에 더해 배은망덕하기 짝이 없는 라이오스에게 빡(!) 돌아버린 펠롭스는 라이오스가 아들을 낳는다면 바로 그 아들이 아비인 라이오스를 죽일 것이라고 저주를 퍼부어댔고, 이 저주가 신이 내리는 예언인 신탁이 되어 버린 것이었으니. 아, 그렇다면 오이디푸스 역시 이카루스처럼 자신의 잘못이 아닌 타인의 악행으로 인해 비극의 주인공이 되어 버린 것이 아니런가! 굳이 그의 잘잘못을 따지자면, 동네 어귀에 얼쩡대는 저잣거리 깡패처럼 전혀 모르는 사람에게 괜시리 시비 걸다가 살인까지 저지른 것일 텐데...사람을 죽였으니 중죄인인 것은 분명하지만 살인과 약탈, 그리고 성범죄가 난무하는 그리스 신화 속에서 그가 가장 잔혹한 비극의 주인공이 되야 할 만큼 흉악한 범죄자였는지에 대해서는 확언하기 어려운 노릇이다. 이는 이카루스 역시 마찬가지일 것이며, 그가 특별히 잘못한 것이라고는 부친의 충고를 무시하고 시건방(?)지게 하늘 높이 날아오른 것 밖에 없지 않던가. 하지만 죄의 경중과는 크게 상관없이 이들의 행위는 결과적으로 자신들을 모두 파멸과 죽음으로 몰고 가고 말았으니.

당신의 투자 실패에도 숨겨진 원인이 반드시 있다?!

앞서 소개한 두 편의 그리스 신화에서 살펴 본 것처럼 모든 일에는 마치 동전의 양면처럼 결과와 (이를 불러 일으킨) 원인이 동시에 존재하며, 그 둘 간에는 일정한 인과 관계가 있게 마련이다. 이는 투자에서도 마찬가지인데, 우리가 허구한 날 실망스러운 투자 성적표를 받아 드는 데에는 우리가 잘 모르는, 혹은 알지만 고치려고 하지 않는, 또는 고치려고는 하지만 좀처럼 고쳐지지 않는 잘못된 습관이 원인으로 작용하고 있을 터이다. 그렇다면 지금부터 투자 실패를 불러 오는 주요 원인에 대해서 먼저 파악한 후 이를 해결하는 방법에 대해서 알아보도록 하자.

실패 원인 1. 유행주/인기주/테마주에만 집중 투자한다...

혹시 지금으로부터 약 20여 년 전에 선풍적인 인기를 끌었던 '반신욕'을 기억하시는 분이 계실 지 모르겠다. '반신욕'이란 체온보다 약간 고온인 미지근한 물을 욕탕에 채우고서는 약 반시간 가량 가슴 아래 부분까지 몸을 담그는 것을 의미하는데, 언뜻 일반적인 입욕과 큰 차이가 없어 보이는 데다가 효과라고 해봐야 혈액 순환 증진이나 (땀의 배출을 통한) 노폐물 제거 등이 전부일 것 같지만, 당시에는 감기나 불면증은 물론 신장병, 고혈압, 어깨 결림, 요통, 생리통, 관절염 등에 탁월한 효험이 있는 만병통치 요법으로 각광받았으니. 그리하여 필자 역시 욕탕용 온도계까지 장만해 가며 몇 주간 반신욕을 해보았지만...당시에는 별 다른 지병이 없었던 지라 효과가 있는지 없는지 확인할 수 없었고, 게다가 하루 종일 피곤하고 온 몸이 간질거려 이내 그만 두고 말았다. 그런데 지병이 있으셨던 분들께서도 이를 통해 큰 효과를 보지 못하셨는지 어느새 반신욕은 우리 기억에서조차 잊혀진 존재가 되고 말았으니.

음, 그런데 요즘엔 맨발로 걷는 것이 큰 유행인지, 얼마 전 새로 산 운동화를 신고 산을 오르던 필자는 앞뒤좌우의 모든 분들이 다 맨발이어서 깜짝 놀라고 말았다. 그래서 인터넷을 찾아 봤더니 맨발 걷기가 체중 감량, 불안감 및 우울증 완화, 자연과의 일체감 증진, 혈액순환 개선, 스트레스 해소, 두뇌 자극을 통한 치매 예방 등 이루 헤아릴 수 없이 많은 장점을 갖고 있다는 것이다. 하지만 이에 못지 않게 맨발 걷기의 단점도 많이 소개되어 있었는데, 전문가들은 맨발로 단단한 땅바닥을 걸으면 족저근막염, 자간신경종, 종자골염 등 우리에게 생소하기 그지없는 족부질환이 발생할 수 있으며, 이외에도 발목, 무릎, 허리, 척추 등의 관절에 악영향을 미치는 동시에 피부 손상 및 (지표면 위에 기생하는) 세균 유입을 통한 감염도 우려돼 별로 권하고 싶지 않다고 입을 모았다. 필자가 이 분야의 전문가는 아니지만 왠지 맨발 걷기 역시 반신욕과 마찬가지로 한 때 반짝(!)하고 사라질 가능성이 굉장히 높지 않을까 조심스레 예측해 본다.

서론이 좀 길었는데, 주식 시장에도 반신욕이나 맨

발 걷기처럼 그 가치 (혹은 효과)가 불분명함에도 갑작스레 인기를 누리는 종목들이 있으니, 이들이 이른바 유행주/인기주/테마주가 되겠다. 엄밀히 말해 이 세 가지는 서로 조금씩 다르지만 일반적으로 이들 모두 경제, 기술, 정치, 사회 등의 특정 이슈로 인해서 갑작스런 관심이 쏠리며 주가가 급등하는 종목이라 할 수 있을 것이다. 우리나라에서는 1970년대부터 지금까지 건설 - 금융 - 무역 - 보험 - 남북 경협 - IT - 태양광 - 나노 - 바이오 - 반도체 - 대선 주자 (관련 주식) 등과 같은 굵직굵직한 테마주들이 등장했었는데, 이들처럼 '뭔가 있어 보이는' 주식들과는 달리 중국 놀이동산 - 보물선 탐사 - 만리장성 개보수 (1990년대 초 중국 정부가 만리장성에 바람막이 설치 등 개보수사업을 결정하여 여기에 한국 업체가 참여한다는 루머가 돌면서 해당 기업의 주가가 폭등) 등 다소 황당한 테마주도 있었으니. 결론부터 먼저 내리자면, 대부분의 테마주는 주식시장에서 거액을 굴리는 소위 '고래'들이 주식으로 인한 손해를 다른 투자자에게 떠넘기거나 단타로 주가를 띄운 뒤 손을 털려는 의도에서 생겨났을 가능성이 매우 높기에 여기에 투자했다는 (일반) 투자자는 많아도 돈을 벌었다는 사람은 거의 없는, 한마디로 개미 투자자가 돈을 버는 것은 거의 불가능한 주식이 되겠다. 역사적으로 특정 테마를 달고 단기간에 주가가 하늘 높은 줄 모르고 치솟은 주식들은 엄청나게 많았지만 이들은 대개 그 상승세가 오래 지속되기는커녕 어느 순간 휭~하고 연기처럼 사라져 버렸으며, "테마는 시장에서 만들어지고 시장에서 사라진다"는 어느 유명 투자가의 명언처럼 한바탕 폭풍우가 지나간 후에 남는 것이라고는 텅~텅~ 비어버린 내 계좌뿐이다. 사실 찬찬히 생각해 보면 테마주는 사업 실적 혹은 재무 건전성과 같은 '기업 펀더멘털'과는 전혀 상관없이 한 때의 유행처럼 주가가 급등하기에 정상적인 상황과는 거리가 멀어도 한참 멀지만, 투기의 폭풍우가 한참 몰아 칠 때에는 웬만하면 알아차리기 어렵다. 아니, 탐욕으로 말미암아 알면서도 일부러 모른 척 할 수도 있고, 객관적인 정보에는 눈과 귀를 꽉~ 닫아버리고 자기가 보고 싶은 것만 보고 듣고 싶은 것만 듣기 때문일 수도 있다.

위에서 지적한 대로 대부분의 테마주는 갑작스런 유행을 타고 '떡상'하다가 우리가 미처 알아차리기 전에 별안간 '떡락'하는 해프닝으로 마무리 되기에 급등했던 주가는 결국 본래의 자기 자리를 찾아간다. 이에 많은 주식 전문가들은 테마주 투자는 "마지막에 승차한 투자자가 손해를 뒤집어쓰는 '폭탄 돌리기'나 '러시안 룰렛'과 비슷한 위험한 도박"이라며 "기업 가치 상승과 연결되지 않는 테마주는 그냥 유명 인플루언서 구경하듯 지나치는 게 가장 현명한 방법"이라는 조언을 아끼지 않는다. 물론 반신욕이나 맨발 걷기를 통해서 효과를 보는 사람이 있는 것처럼 테마주 혹은 유행주에 대한 투자를 통해 돈을 버는 사람이 간혹 존재 할 수도 있겠지만, 우리 일반 투자자들은 언제 상황이 급변하여 주가가 급락할 지에 대한 정보가 제한되어 있는 것은 물론 다른 투자자들 (특히 큰손들)의 주식 매입-매각 성향에 대해서도 거의 알 수 없기에 테마주에 편승해 성공하는 것은 굉장히 어렵다 할 것이다. 결론적으로, 테마주를 대하는 가장 좋은 방법은 (위의 전문가 조언처럼) "지금 세간에 이러이러한 트렌드가 있고 저러저러한 주식도 있구나" 하며 그냥 지나치는 것이지만, 참새가 방앗간을 그냥 지나칠 수 없는 것처럼 그래도 한 번 찔러라도 보고 싶다면 해당 기업의 사업 모델이나 매출/손익 상황, 그리고 재무 상태 등을 꼼꼼히 살핀 후 투자하는 것이 나의 자산을 최대한 안전하게 챙길 수 있는 유일한 방법이 될 것이다. 마치 내 몸이 반신욕이나 맨발 걷기에 적합한 신체인가를 사전에 철저히 확인한 후 이러한 요법을 직접 실행에 옮기는 것이 튼튼한 신체를 유지하는 데 필수 불가결한 것처럼.

실패 원인 2. 한 두 종목에 몰빵해 단기 수익을 노린다...

이 글을 읽는 분들 중에 카지노에 있는 오락거리의 하나인 '카지노 룰렛'이라는 게임을 해보신 분이 계실 지 모르겠다. 간단히 말해 이는 플레이어가 0부터 36까지의 숫자에 칩을 베팅하면 딜러가 쇠구슬을 회전 기구에 떨어뜨려 그 구슬이 어느 숫자에 멈추느냐에 따라 승패 및 배당이 결정되는 게임이 되겠다. 필자는 이 게임을 해외 여행 중에 심심풀이로 한 번 해보았는데, 워낙 이런 류에 소질이 없는지라 그냥 두 개의 숫자에 몰빵을 해버렸고…그러자 쇠구슬을 굴리려던 딜러가 필자를 쳐다 보더니 씩~ 하고 웃는 것이었다. 결국 필자는 단 몇 분만에 수십 불을 잃고서 다른 사람들이 하는 것을 구경하고 있었는데, 왠 벽안의 중년 남성은 아무 생각 없이 한 두 숫자에만 몰빵해버린 필자와는 달리 여러 숫자에 겹쳐서 베팅을 하는 것이었다. 즉, 한 개의 칩을 네 개의 숫자가 맞닿은 격자선에 걸쳐 놓아 적은 숫자의 칩으로도 여러 곳에 나누어 베팅을 한 것. 음, 이렇듯 폭 넓게 분산 투자를 하자 삽시간에 수 십 불을 잃고만 필자와는 달리 그는 아주 오랫동안 게임을 했음은 물론 게임을 마친 후에도 비록 많지는 않지만 얼마간 돈을 딴 채 테이블을 떠났으니. 후에 필자가 인터넷 등을 통해 파악해 본 바에 따르면, 그가 한 이 베팅 방법은 숫자 위에 칩이 깔린 모양이 마치 꽃이랑 비슷하다고 해서 '플라워 베팅(Flower betting)'이라 불린다고 한다.

위의 카지노 룰렛 게임과 마찬가지로 주식에서도

이러한 분산 투자의 중요성은 아무리 강조해도 지나치지 않다. 앞서 소개했던 것처럼 다채로운 '좋은 주식'으로 포트폴리오를 구성하는 것은 물론 장기적으로 보유만 한다면 아무리 '눈먼 자'라도 자신의 투자 목적을 달성할 가능성이 수직 상승할 것이다. 운만 좋다면 비록 필자와 같이 한 두 군데에만 집중 투자 한다 해도 고수익을 거둘 수도 있겠지만, 자신의 피 같은 돈을 운에만 기대어 투자해서야 되겠는가. 최대한 깊게 생각해 보고, 세심히 따져보고, 그리고 다른 많은 주식들과 비교해 가면서 해야지. 또한 돈을 딸 생각만 하지 말고 언제고 잃을 수도 있다는 리스크도 염두에 두고서 해야지. 여담이지만 카지노 룰렛을 잘하는 요령을 읽고 난 이후에야 왜 딜러가 필자를 쳐다보면서 씩~ 하고 웃었는지 그 이유를 알 것만 같았다. 근거없는 자신감은 오히려 독이 될지도 모르지만, 다음 번에 카지노 룰렛을 한다면 정말로 잘 할 수 있을 것만 같다. 그때가 언제일지는 모르겠다만. ^^.

실패 원인 3. 빚을 내서 투자한다...

필자의 친한 대학 동기 중에 국내 유수의 금융기관에서 펀드 매니저로 맹활약하다가 외국계 은행으로 스카우트되어 승승장구하던 친구가 있었다. 그 곳에서도 최고의 실적을 기록하며 엄청 잘 나가던 그는 자신의 빼어난 실력으로 충분히 홀로서기 할 수 있다고 느꼈는지 회사를 관두고서는 친척과 친구들에게 수 천 만원씩 돈을 빌려 전업투자에 나섰으니. 그런데 딱 1년 후에 원금에 이자까지 두둑이 붙여 갚겠다며 의기양양했던 모습과는 달리 점차 친구들과의 모임에도 출석이 뜸해지던 그는 돈을 갚기는커녕 완전히 연락이 두절되어 버리고 말았다. 그러자 빌려준 돈은 그냥 날렸다 쳐도 그의 안위가 심히 걱정됐던 친구들이 여러 갈래로 그를 찾아 헤맸지만 행방은 묘연하기만 했다. 그 후 그 친구에 대한 추억마저 완전히 잊혀져 갈 무렵 마침내 그가 모습을 드러냈는데, 그에게 들은 이야기는 마치 한 편의 영화 같았으니.

회사에서 월급을 받으며 다닐 때와는 달리 자신이 다시 갚아야 할 돈으로 투자를 한다고 생각하니 반드시 고수익을 내야 한다는 강박감에 무리한 투자를 이어갔고,

튼튼한 조직 안에서 일하면서는 달콤한 성공만을 맛보았기에 내가 투자한 종목은 언젠가는 크게 오를 것이라는 근거 없는 자신감으로 바닥을 모르고 '떡락' 중인 주식을 끝까지 쥐고 있었으며, 어쩌다 큰 돈을 벌기도 했지만 더 높은 수익을 노리고 또 다시 고위험 상품에 투자했다가 지인들에게서 빌린 돈은 고사하고 금융권에서 추가로 빌린 돈까지 다 날렸다는 것이었다. 그 후 완전히 폐인이 되었던 그는 아무런 연고도 없는 모 지방 도시로 내려가 대입 학원 강사로 일하기 시작했고, 오랜 만에 다시 만났던 당시에는 꽤나 큰 공부방을 운영하고 있다고 했다. 그러면서 이자는 나중에 사정이 더 좋아지면 갚을 테니 원금만이라도 먼저 받아달라는 것이 아닌가. 그런 상황이라면 멀리 도망가버릴 수도 있고 혹은 친구 사이에 빚은 제발 좀 없었던 것으로 하자고 통사정 할 수도 있을 텐데 자진해서 원금을 갚겠다니, 그간 돈 때문에 노심초사했던 마음고생이 다 사라지는 것 같았다. 그리하여 이자는 그냥 탕감해 주기로 하고 10년이 조금 안되는 시간 동안 끌었던 우리 모두의 고행을 깨끗이 마감하기로 했으니. 그 날 반주를 곁들인 저녁 식사를 하며 얼큰히 취한 그 친구 왈, "회사에서 월급 받으면서 할 때는 그리 돈이 잘 벌리더니 내 돈, 친척 돈, 친구 돈, 게다가 은행 돈까지 끌어 모아서 한다고 생각하니 왜 그리 수익이 안 나던지. 게다가 잃은 돈 만회하려고 더 미친 듯이 덤벼 들었더니 더더욱 안되고. 아, 정말로 끝이 보이지 않는 늪으로 끌려 들어가는 느낌이었어. 이제 다시는 빚투 같은 건 생각도 하지 않을 거야..."

굳이 필자의 지인 얘기를 꺼낼 필요도 없이 이런 경우는 우리 주위에서 매우 흔하게 목격되곤 한다. 조직에서는 승승장구하며 출세 가도를 달리다가도 투자금을 빌려 자기 사업을 차리더니 채 일 년도 안되 부도를 내는 사업가, 남들에게 매수하라며 찍어준 주식은 기가 막히게 '떡상'하지만 분명히 오를 거라며 빚까지 내서 직접 투자한 종목은 허구한 날 하한가를 기록하시는 '헛똑똑이 고수' 등이 이 부류에 해당 된다고 하겠다. 이러한 분들이 사업과 투자에 실패하시는 이유는, 물론 다른 이유도 많겠지만, 실력보다는 심리적인 영향이 굉장히 크다고 할 것이다. 즉,

돈을 많이 벌기 위해서는 돈에 어느 정도 집착하는 것이 당연하겠지만 너무 심하게 집착하고 노상 안달을 쳐대니 제대로 된 판단과 의사 결정을 하지 못하고 계속 무리수를 두어 속된 말로 연신 'X볼'을 차댄다는 것. 이에 더해 남의 돈까지 빌려 소위 말하는 '빚투'를 한다면 상대 진영으로 'X볼'을 차기는커녕 자기 골대에 '자살골'을 차 넣을지도 모를 일이다.

바로 이 순간 치명적인 부상을 당해 오랜 재활 기간을 거쳐 다시 재기했던 어느 프로 야구 선수의 명언이 필자의 뇌리에 떠오른다. 진정한 재활은 신체적인 재활이 아니라 심리적인 재활이라고. 이 선수의 말처럼 신체는 완전히 회복되어 아무런 이상이 없는 것에 더해 꾸준한 연습으로 예전의 실력까지 되찾았건만, 다시 부상을 당할 수도 있다는 불안감, 예전의 실력이 온데 간데 사라져 버리지 않았을까 하는 자기 능력에 대한 불신, 그리고 다음 시합에서도 좋은 결과를 얻지 못하면 선수로서는 이제 영영 끝이 아닌가 하는 초초함이 진정한 재활 및 재기를 훼방 놓는다는 것. 게다가 지금까지 자신을 물심양면으로 지원

해 온 가족과 코치 등 주변 사람들의 기대와 염려, 그리고 눈에 보이지 않는 구단의 압박까지 더해진다고 하면 실제 시합을 하기도 전에 이미 그에게는 실패의 그늘이 길게 드리워져 있을지도 모를 일이다.

물론 이러한 시련을 모두 꿋꿋이 극복하고 큰 성공을 거두는 사람들도 더러 있지만 이런 분들은 찾아보기가 참으로 어려운 것이 현실이며, 때로는 우리네 상상을 초월하는 극단적인 상황으로 치닫기도 한다. 차마 입에 올리기도 꺼림직하지만, 몇 해 전 서울 모 부촌에서 일어난 일가족 살인 사건을 아직도 많은 분들께서 기억하실 것이다. 한 때 잘 나갔던 가장은 실직한 사실을 숨긴 채 아파트를 담보로 수 억 원 빚을 내서 전업 투자를 시작했지만 손실은 점점 더 커져만 갔고, 결국 현실에 굴복하고만 그는 자포자기 상태에서 자신의 가족을 살해하는 최악의 선택을 하고 말았던 것. 그렇다면 이 장의 결론은 명확하지 않은가, 밤낮없이 무언가에 쫓기며 자신도 모르게 빠져 들어가는 패닉 상황에서는 가진 돈을 다 잃는 것은 고사하고 자신과 가족, 그리고 주위의 모든 사람을 모두 파멸의 길로 빠져 들게 할 수 있다는 것. 그래도 투자에 대한 피 끓는 열정을 참을 수 없어 가진 돈은 없지만 '남의 돈'이라도 끌어들여 투자하고자 한다면, 그렇게 하시라. 하지만 그에 대한 책임은 전적으로 여러분들 스스로가 지셔야 한다는 것은 명심하시길. 여담으로 아직도 그 친구는 공부방을 운영하고 있으며, 남는 돈을 활용해 '소액 장기 투자'도 조금씩 하고 있다고 한다. 수익률은 굳이 묻지 않았으니 얼마나 되는지는 모르겠고. 음, 하지만 필자가 추측하건대 먼 옛날 그 날처럼 야밤 도주를 할 정도로 실적이 나쁘진 않은 것 같다. ^^.

실패 원인 4. 과거 실적만 보고 투자한다...

몇 년 전 한 TV 프로그램에서 국내 최고의 대학에서도 단연 최고 명문학과로 손꼽히던 법학과 졸업생들의 근황을 다룬 적이 있었다. 당시 변호사로 일하고 있던 한 졸업생은 "우리 과 정원이 270명이었는데 내 동기들은 200명 정도가 고시에 합격하는 등 법대 내에서도 전무후무한 학번

이었다"라며 자랑질(?)을 해댔으니. 만일 그의 말이 맞다면 80년대 중반의 어느 해에 입학한 총 270명 중 약 75%가 (로스쿨 설립과 함께 폐지되었지만 당시에는 고시의 꽃으로 불렸던) 사법고시를 비롯해 행정, 외무 등 각종 고시에 붙었다는 건데...그렇다면 전체 인원의 약 25%에 해당하는 나머지 70명은 어떻게 된 것일까? 물론 처음부터 아예 고시에 관심이 없어 취직이나 유학 준비를 하거나, 혹은 사회 운동에 적극적으로 참여하는 사람도 있었겠지만 아마도 그 70명 중의 절반 정도인 최소 30명은 소위 말하는 '고시폐인'으로 전락했을 가능성도 있다. 사법고시를 대체한 로스쿨의 설립 취지에 이러한 '엘리트 이탈 현상'을 일소하기 위한 것도 포함되어 있었으니 말이다. 여담이지만 필자가 몇 해 전까지 다니던 회사에도 고시에 계속 도전하다가 결국 포기하고 나이 들어 입사한 이 대학 법학과 출신이 몇 명 있었는데, 대부분 업무 능력은 출중했지만 이루지 못한 꿈에 대한 아쉬움 때문인지 조직에 대한 충성심은 고사하고 그다지 성실하지도 않았던 것 같고, 주변 사람들과도 모두 상당한 거리를 두는 스타일이었다.

그런데 어찌 보면 참으로 희한하지 않은가? 대한민국 최고의 수재라는 이들이 10년 넘게 공부해도 패스하지 못한 국가고시에 소위 '듣도보도 못한 지방 대학' 출신이 떡~하니 붙는 경우도 심심치 않게 있으니 말이다. 게다가 예전에는 고졸 출신도 꽤 있었고. 물론 본인 스스로는 굉장히 우수하지만 집안 형편이 어려워 장학금을 받고 하위권 대학에 간 사람도 있겠지만, 흔히 '인 서울 중하위권'으로 분류되는 대학에서 사시 및 외시 수석이 배출되기도 해 학벌 만능주의에 찌들은 우리 사회에 크나큰 경종을 울리기도 했었다. 그렇다면 이러한 현상은 무엇을 의미할까? 분명 초등학교와 중학교 때 공부 잘하던 학생이 고등학교에서도 공부를 잘 하는 것은 물론 결과적으로는 좋은 대학에 진학해 고시 합격까지 연결될 가능성이 굉장히 높지만, 백이면 백 다 그런 것은 아니고 아주 많아야 약 90% 정도 그러하다는 것이다 (위의 법대 졸업생 270명 중 약 10%는 고시에 붙기는커녕 사회 진출도 제대로 하지 못했을 것이기에...). 음, 허면 이러한 현상은 현재 50대인 80년대 대학 입학자에만 해당되는 얘기일까? 절대 그렇지 않다! 비록 기수별 응시자 합격률이 아닌 전체 응시자의 합격률이긴 하지만, 국내 최고의 로스쿨이라는 곳의 변시(변호사 시험) 합격률은 80%를 살짝 넘는 수준이고 가장 합격률이 저조하다는 지방의 어느 로스쿨은 약 30%를 기록했다고 하는데, 흠, 그렇다면 최하위 로스쿨의 상위 30%가 최상위권 로스쿨의 하위 20%보다 실력이 더 좋다는 얘기가 아닌가! 결과적으로 대학 입학 (혹은 로스쿨 입학) 성적과 고시 혹은 변시 성적은 'Completely equal (완전히 일치)'이 아닌 'Almost equal(대부분 일치)'에 불과하다는 것이다.

그럼 이러한 현상을 산업계에 적용해 보면 어떻게 될까? 이는 곧 지금까지는 최고의 실적을 구가하며 글로벌 최상위권 기업으로 승승장구 했을 지 몰라도 미래가 어떻게 될지는 그 누구도 장담하지 못한다는 것이 아닐까? 즉, 최고의 로스쿨을 나왔지만 변시 합격에 실패한 하위 20%의 학생들처럼 예상치 못한 경쟁자/경쟁제품의 등장, 새로운 소비자의 요구, 신기술 출현, 국제 정치 상황 변동 등으로 시시각각 변하는 사업 환경과 시대 조류에 제대로 대응하지 못하면 언제든 3류로 전락하면서 역사의 뒤안길로 사라질 수 있다는 것. 현실이 이러하기에 지금까지의 실적이 아무리 좋았다 해도 해당 기업의 향후 사업 전망에 대해 한 번 더 검토하고 한번 더 의심하는 자세가 반드시 필요하다는 것이다. 영국의 극작가 '존 오스본(John Osborne)'은 2차 세계대전이 끝나고 얼마 지나지 않은 1950년대에 삶에 대한 희망을 잃고 기존 체제에 불만을 품은 청년 세대들을 대변하는 'Look back in anger(성난 얼굴로 돌아보라)'라는 희곡을 썼지만, 우리는 'Look back in doubt (의심을 품고 돌아보라)'라는 말을 가슴에 품고 대상 기업의 과거와 미래에 대해 철저히 분석한 후 투자하는 자세를 필히 견지해야 할 것이다.

얼마 전 한 인터넷 사이트에서 30년 전 대학 순위를 소개한 동영상을 본 적이 있는데, 소위 말하는 'SKY 대학'의 위상은 그 때나 지금이나 굳건하건만 '인 서울 중하위권 대학'의 진격과 '지방 국립대'의 하락세는 놀라울 정도였다. 이러한 현상은 그간 해당 대학들의 노력의 차이라기보다는 국가의 부와 경제가 수도권에 비정상적으로 집중

되면서 발생했을 가능성이 매우 높지만, 얼마 전 개봉한 영화 '대외비'에 나왔던 명대사인 "안 위험한 인생 있습니까, 한발 삐끗하면은 마 다 뒤지는 거지!"라는 말처럼 어디 서울 명문대라고 언제까지고 위로 쫙쫙 상승만 한다는 보장이 있는가? 이는 글로벌 시장에서 1위를 달리는 초일류기업도 마찬가지 일 것이고. 그리고 이 영화 속 명언보다 더 멋들어진 명언을 위 동영상에 달린 댓글에서 발견했으니, 글쓴이는 "30년 전 순위가 아닌 30년 후 순위를 이야기하라!"고 일갈했으니. 그의 말처럼 80년대 최고 대학에 입학한 법대생이나, 지금 로스쿨에 재학 중인 재학생이나, 혹은 현재 글로벌 1위를 달리고 있는 기업이나 30년 전이 뭐 그리 중요하겠는가, 이미 다 지나가 버렸고 지금의 우리가 바꿀 수 있는 것은 아무것도 없는데. 그래도 미약하나마 우리가 좋은 쪽으로 개선시킬 수 있는 30년 후가 훨씬 더 중요한 것이지. 그리고 우리의 30년 후를 만드는 것은, 어느 유명 작가의 말마따나 "하루하루 그리고 순간순간의 작은 최선"일 것이고 말이다. 로스쿨 입학시험 준비를 하던, 변시 공부를 하던, 투자할 종목을 열심히 분석하던, (필자와 같이) 글을 쓰던 간에.

실패 원인 5. 그 외에도...

투자 실패를 불러오는 여러 가지 나쁜 습관들이 있을 것인바, 간략히 몇 가지만 소개해 보면,

① 인터넷에 떠도는 동영상에서 툭툭 내던지는, 전혀 검증되지 않은 자극적인 투자 권유에 따라 대박만을 꿈꾸며 아무런 생각 없이 질러대는 이른바 '묻지마 투자'
② 극심한 손실 공포감으로 주가가 아주 조금만 하락해도 (혹은 주가가 아주 약간만 상승해도) 바로 팔고 도망가는 '소심증 투자'
③ 스스로의 능력을 과대평가하며 항상 자신의 예측과 정보가 맞다고 우기면서 투자에 수반된 갖가지 위험 요소를 과소평가하는 '우물 안 개구리식 투자'

등이 있을 것이다. 그리고 이의 해결을 위해서는...

투자 실패를 불러오는 근본 원인을 제거하여 저주의 악순환을 끊어야만 한다!

앞서 누누이 말했던 것처럼, 1)여유 자금을 활용하여 장기투자 할 것, 2)자신만의 확고한 목표 이익 혹은 손실 기준을 정하고 이에 따라 매수 및 매도 실천, 3)업종을 대표하는 초우량 주식을 매주 또는 매월 나누어 매입 및 목표 이익 달성 시 바로 매각, 4)테마주는 나와 전혀 상관없는 '먼 나라, 남의 나라' 이야기로 여길 것, 5)기존 보유한 종목과 상관관계가 적은 업종에 투자할 것, 6)성장성이 높고 지배구조가 투명한 기업의 주식에 투자 할 것 등과 같은 '좋은 습관'의 실천이 필요하다 할 것이며, 이 모든 과정에 자신이 가진 지식과 정보가 언제든 틀릴 수 있다는 '지적(知的)인 겸손'으로 임해야 할 것이다.

미국 CBS에서 2005년부터 2020년까지 방영했던 본격 범죄 프로파일링 드라마 '크리미널 마인드(Criminal Minds)'에서는 범죄를 유발하는 동기를 크게 유전적, 심리적, 상황적, 이렇게 3가지로 나눈다. 즉, 부모로부터 사기성이 농후하거나 폭력적인 '범죄 DNA'를 물려받았거나 (유전적), 조상 대대로 범죄와는 거리가 먼 혈통이건만 혼자서만 돌연변이 또는 성장 과정을 통해 강한 범죄 성향을 갖게 되었거나 (심리적), 혹은 인간 자체로는 선하디 선한 데다가 준법정신마저 투철해도 (배고픔에 울부짖는 조카들을 위해 빵을 훔친 장발장처럼) 자신이 처한 상황에 따라 얼마든지 범죄를 저지를 수 있다는 것 (상황적). 그렇다면 이는 우리에게 어떤 메시지를 전해 주는가? 아무리 유전적 혹은 심리적으로는 범죄와 거리가 멀다 해도 극심한 생활고에 처하거나 막대한 이익이 걸린 상황이라면 범죄를 저지를 가능성이 수직 상승하는 것처럼, 투자 폭망을 불러오는 습관을 버리겠다고 아무리 밤 새워 다짐해도 주위에서 계속 "이번은 정말 단군 이래 최고의 대박 기회야!"라고 부추기면 또 다시 앞서 지적한 나쁜 투자 습관이 되살아 날 수 있다는 것이다! 마치 어느 철학자가 했다는 "인간은 무지하며 (혹은 인간의 욕심은 끝이 없으며) 똑같은 실수를 반복한다"는 명언처럼 말이다. 또한 이렇듯 끝없이 반복되는 실수는 투자자를 '폭망'이라는 비극적인 상황으로 끌고 들어갈 것이고. 그렇다면 언제고 재발할 수 있는 이 같은 나쁜 습관을 뿌리 채 뽑기 위해서는 어떻게 해야 할까? 항상 투자의 기본을 지키는 동시에 (앞서 필자가 지적한) 여러 좋은 투자 습관이 완전히 몸에 배일 수 있도록 뼈를 깎는 노력을 해야 할 것이며, 또한 자신이 아는 것이 항상 옳은 것은 아니라는 겸손한 태도 역시 반드시 견지해야 할 것이다.

자, 그럼 이제 다시 오이디푸스와 이카루스의 이야기로 돌아가 보도록 하자. 먼저 오이디푸스. 그는 굳건한 왕권을 확립한 테베 역사상 가장 뛰어난 통치자였고, 뛰어난 지성으로 그 누구도 풀지 못했던 스핑크스의 수수께끼를 풀어낸 첫 번째 인간이었으며, 아름다운 아내와 사랑스러운 자녀들과 함께 행복한 삶을 누리던 가장이기도 했다. 즉, 누구도 부정할 수 없는 완벽한 인간이었다는 것. 다만 이는 안타깝게도 그가 그 유명한 출생의 비밀을 알기 전까지만 유효했다. 결국 오이디푸스는 스스로의 힘으로는 절대 극복할 수 없는 (조상이 저지른 죄악의) 업보 탓에 한 때 태양처럼 찬란했던 생애를 비참하게 끝마치고 만다. 이번엔 이카루스로 가보자. 그 역시 본인의 의지와는 전혀 상관없는 부친의 잘못으로 인해 탑에 감금되었음은 물론 그곳에서 탈출하기 위해 위험을 무릅 쓰고 공중을 날아야만 했고, 결국엔 태양을 치솟아 오르다가 바다에 빠져 죽고 말았으니. 게다가 (이 장의 맨 앞에 소개한 그림에서처럼) 이 불쌍한 청년이 바다에 빠져 죽어가고 있음에도 마치 아무 일도 없다는 듯 농부는 태연히 밭을 갈고, 낚시꾼은 고기 잡는 데에만 정신이 팔려있고, 배는 자신의 갈 길로 미끄러져 나간다. 그렇다면 이는 우리에게 어떤 교훈을 전해 주는가. 만일 우리가 나쁜 투자 습관을 버리지 못해 투자에 또 다시 폭망한다 해도 세상은 (위의 그림에서와 같이) 마치 아무 일도 없다는 듯 잘만 돌아갈 것이라는 것. 그리고 우리는 그 누구의 위로도 받지 못한 채 투자 손실에 대한 전적인 책임을 온전히 어깨에 짊어져야 할 것이고.

하지만 아직 희망을 완전히 버리지는 말자. 오이디푸

스나 이카루스는 자신들이 거역하지 못할 운명의 소용돌이에 휘말려 비참한 최후를 맞이했지만, 우리는 우리가 가진 지식과 정보를 십분 이용하는 동시에 스스로의 의지에 따라 나쁜 투자 습관을 버리고 좋은 투자 습관을 최대한 몸에 익혀 성공할 기회가 아직 남아 있으니 말이다. 이러한 고로 아직까지는 우리가 세상을 떠난 지 수 천 년이 넘도록 비극적인 유명세를 치르는 저들보다 훨씬 행복하다고 할 수 있겠지만, 미래에도 그러할 지는 오직 우리의 주체적인 선택과 실천에 달려있음도 함께 명심하시길.

아홉 번째. 과욕을 부리지 마라, 티끌 모아 태산이다!

아, 왠지 아래 그림을 보신 독자들께서 "야! 넌 명색이 작가라면서 숨겨진 보석 같은 작품을 발굴하기는커녕 이젠 진부하기까지 한 그림을 책에다 넣냐!"라며 호통을 치실 것만 같다. 사실 '이삭줍기' 혹은 '이삭 줍는 여인들'이라 불리는 '밀레(Jean-François Millet)'의 이 작품은 아주 오래전부터 우리가 교실, 레스토랑, 제과점은 물론 이발소, 대중 목욕탕, 심지어 철물점 등의 벽면에서조차 아주 지겨울 정도로 많이 봐왔던 것이 맞긴 하다. 그리고 기억의 왜곡인지는 모르겠지만, 예전 필자가 어렸을 적 길거리에서 자주 사먹었던 번데기(!)의 포장지에도 저 그림이 그려져 있었던 것 같고. 이 작품은 (우리가 좋아하던 그렇지 않던 간에) 농민의 생활을 소박한 아름다움으로 승화시킨 전원 그림의 대표작으로서 아직도 명성이 자자하다. 물론 위에서 언급했듯이 인기가 너무 높다 보니 이젠 좀 진부해지기도 했고.

그리고 이 그림의 탄생과 관련된 논란거리 역시 예전엔 꽤나 신선했건만 이젠 너무 널리 알려져 뭇 사람들

의 반응은 심드렁하기까지 하다. 차분하면서도 평화롭게만 보이는 이 작품이 1857년 처음 발표됐을 때 평론가들이 "선동적이고 불온한 그림"이라며 강하게 비난했으며, 밀레가 이삭줍기로 연명하는 빈농의 모습과 황금색으로 빛나는 곡식을 대조시키며 빈부격차를 고발하고 이들을 암묵적으로 선동한다고 악평을 퍼부었다는, 바로 그 논란 말이다. 그림 오른편에 멀리 보이는 말 탄 사람은 그냥 '말을 타고 있는 사람'이 아니라 이삭 줍는 이들을 감시 중인 '감독관 (지주 대리인)'이라는 주장은 덤. 이러한 비난에 대해 밀레는 단지 자신이 직접 체험한 농촌의 고된 생활을 온화한 서정과 종교적인 경건함을 담아서 있는 그대로 묘사했을 뿐, 그 어떠한 참담한 심정이나 울분, 혹은 사회비판적인 요소가 개입돼 있지 않다며 일축했으니. 진실이야 밀레만 알겠지만, 생계를 위해서 부지런히 이삭을 줍는 사람들 입장에서야 그가 무슨 의도로 그림을 그렸는지가 뭘 그리 중요하랴.

자, 이젠 진부함에서 조금이라도 탈피하기 위해서 '이삭 줍기'를 주제로 한 또 다른 그림 하나를 소개해 보도록 하겠다. 아래 그림은 프랑스 화가 '쥘 브르통(Jules Breton)'의 작품으로서, 그는 밀레와 거의 같은 시기인 1859년에 '이삭을 줍고 돌아오는 여인들'이란 위의 작품을 완성했으니.

음, 그런데 그가 그린 이 작품은 밀레의 그림과는 달리 비평가들과 대중의 사랑을 듬뿍 받았음은 물론 당시 프랑스 황제였던 나폴레옹3세와 그의 부인인 외제니 황후의 극찬을 받았으며, 특히 황후는 이 작품을 구매하려 하기까지 했단다. 즉, 정치권과 평단, 그리고 팬들까지 전부 만족시키며 흥행과 비평이라는 두 마리 토끼를 모두 잡은 흔치 않은 작품이라는 것. 그런데 그의 그림 속

에 등장하는 여인들을 유심히 살펴보니, 얼굴이 거의 보이지 않아 철저한 익명성에 가려진 밀레 그림 속의 주인공들과는 달리 만면에 여유가 넘쳐 흐르는 것은 물론 미모와 기품마저 갖추고 있어 일견 수수해 보이는 옷을 드레스로 갈아 입기만 하면 화려한 무도회장으로 곧바로 직행해도 될 것 같다. 아울러 밀레 그림 속 주인공들은 손에 아주 몇 가닥의 이삭만을 간절하게 쥐고 있는데 반해 이들은 양손 가득 이삭 꾸러미를 안고 있어 굉장히 풍요로워 보이기도 하고. 한마디로 활력과 생기가 넘치는 그녀들에게서 고된 육체 노동에 지친 나약한 기색을 찾아보기는 어렵다. 결과적으로 밀레 작품 속의 여인들이 '노동자'라면 브르통의 주인공들은 '근로자'일 것 같고, 만약 밀레가 치열한 삶이 파노라마처럼 소용돌이치는 '극한직업'의 연출가라면 브르통은 사회 지도층 인사들이 보여주기 식으로 힘든 육체 노동을 한나절 가량 경험하던 '체험 삶의 현장' 연출가 일 것만 같다.

그러나 작풍에 있어서의 이러한 극명한 차이에도 불구하고 이 두 작품은 한 가지 커다란 공통점을 갖고 있으니, 그것이 바로 이들 모두 '아주 작은 노력과 성취가 결국 큰 것을 일군다'는 의미의 우리 속담 '티끌 모아 태산'과 (이와 같은 뜻의) 고사성어 '진합태산(塵合泰山)'을 표방하고 있다는 것이 되겠다. 또한 여기서 한 걸음 더 나아가, 이 두 그림은 글자 그대로는 '물방울이 돌에 떨어져 구멍이 뚫린다'라는 뜻이지만 궁극적으로는 '보잘 것 없는 아주 작은 힘이라도 꾸준히 노력하면 큰 일을 이룰 수 있음'을 일컫는 '수적천석(水滴穿石)'이란 한자성어와 상통한다고도 볼 수 있을 터. 물론 그림 속의 여인들이 아무리 열심히 이삭을 모은다 해도 큰 재산을 일구기는 어렵겠지만, 이렇듯 하나 둘씩 모은 이삭으로 이들의 가족이 단 몇 끼라도 배불리 먹을 수 있다면 없는 살림에 얼마나 큰 힘이 될 것인가!

(이삭 줍는 여인들과는 달리) 허황되기 짝이 없는 과욕을 부리는 자들의 최후는?

주지하다시피 기독교 성경에는 아래 그림에 묘사된 '바벨탑'과 관련된 이야기가 나온다. 즉, 인간들이 높고 거대한 탑을 쌓아 하늘에 닿으려 하자 격노한 조물주께서 본래 하나였던 인간의 언어를 여러 개로 나누어 버렸고, 그러자 서로 의사소통이 불가능해진 인간들이 탑 건설을 멈추고 지구 곳곳으로 흩어져 버렸다는 것.

비록 성경에서는 "하늘에 이르는 탑을 쌓아 우리의 이름을 만방에 떨치자!"라며 무고한 사람들을 선동한(?) 인물이 누구인지 세세하게 밝히고 있지 않지만 몇몇 역사학자들은 그가 다름아닌 신바빌로니아 제국의 '네부카드네자르 2세 (성경에는 '느부갓네살'로 기록됨)'일 거라 주장한다. 학자들에 따르면 젊은 시절부터 정복자로 이름을 떨친 그

가 기원전 587년 유대교 성지인 예루살렘을 침략해 성전을 파괴하고 유대인 수천 명을 바빌론으로 끌고 갔는데(이를 '바빌론 유수'라 부른다), 그곳에서 그가 벌인 대규모 건축사업 중 하나인 거대한 탑을 보게 된 포로들의 목격담이 훗날 성서 편찬에 영향을 끼쳐 (유대교) 성전을 파괴하고 약탈과 납치를 일삼은 그를 신에게 도전하는 오만한 인간으로 기술했다는 것이다. 그리고 바벨탑을 그린 수많은 명작 가운데서 피터르 브뤼헐이 그린 위의 1563년 작이 대표작으로 꼽히기도 하니.

그럼 여기서 잠시 그의 작품을 들여다 보도록 하자. 그림 정중앙에 웅장하기 그지 없는 바벨탑이 구름을 뚫고 하늘을 향해 우뚝 솟구쳐 있는 가운데, 그 너머로는 당대 최대의 도시였던 바빌론의 화려한 풍광이 펼쳐져 있다. 그리고 (그림) 왼쪽 밑부분에서는 네부카드네자르 2세로 추정되는 왕이 신하들을 이끌고 공사 현장을 진두지휘하고 있건만...애당초 탑은 마치 '피사의 사탑'처럼 수직에서 벗어나 왼쪽으로 기울어진 채 쌓아 올려지고 있었고, 이에 한 술 더 떠 아래층을 완성하기도 전에 위층을 쌓아 올리는 무지를 범하고 있으니. 게다가 탑의 중간 부분은 이미 군데 군데 무너지고 있고. 이러한 그림 속의 모든 광경은 바벨탑은 결국 무너질 것이며 궁극적으로 이들의 공사는 실패할 것이라는 것을 우리에게 상기시켜 준다. 물론 지금보다 더 높은 곳에 오르고자 하는 인간의 욕망은 자연스러운 본성의 발로라 하겠지만, '과유불급(過猶不及, 지나침은 모자람만 못하다)'이라고, 제 주제를 모르고 너무 높게만 탑을 쌓다 보니 설사 그들의 언어가 계속 한 가지였다 해도 언젠가 탑은 무너지고 그들은 뿔뿔이 흩어졌을 것만 같다. 실제 역사에 기록된 신바빌로니아제국 역시 '건설덕후' 네부카드네자르 2세가 세상을 떠난 직후부터 쇠퇴하기 시작해 채 30년도 못 가 페르시아에게 멸망하고 말았으니.

투자에서 허황되기 짝이 없는 과욕을 부리는 자들의 최후는?

이렇듯 분에 넘치게 과욕을 부리다 폭망한 성경 혹

은 역사 속의 인물들처럼, 투자를 할 때도 분수를 모르고 과욕만 부리다가는 실패할 가능성이 매우 높다 하겠다. 그럼 지금부터 과욕을 부리는 투자자들의 공통적인 특성을 먼저 살펴본 후, 이들과 같은 전철을 밟지 않기 위해선 어떻게 해야 될 지 알아보도록 하자.

과욕을 부리는 투자자의 특징 1. 복권식 요행을 꿈꾸며 고위험 자산에 투자한다...

"짧은 시간에 장타를 치겠다는 욕심을 버려라. 연간 25~30%의 수익률을 기대하는 건 비현실적이며, 연 10%대 수익만 올려도 대단한 성적이다"라는 투자의 귀재 '피터 린치'의 간곡한 조언에도 불구하고 오늘도 수많은 투자자들이 오직 복권식 요행만을 꿈꾸며 대박을 노린다. 이들은 "좋은 주식을 오래 보유해야 장기적으로 안정적인 수익을 올릴 수 있다"는 진짜배기 투자 고수의 금과옥조와 같은 조언 역시 한 귀로 듣고 한 귀로 흘려버리고는 고수익/고위험 금융 상품을 선전하는 재테크 장사꾼들의 말만 믿고 허황된 대박만을 꿈 꾼다. 즉, 단 기간에 큰 성공을 바라는 욕심에 욕심이 더해져 남은 현금을 전부 위험 자산에 투자하는 것도 모자라 결국엔 빚까지 내서 투자하는 '빚투'에까지 이른다는 것. 이럴 경우 대부분 위험 자산의 비중이 늘어나면서 보유한 종목의 수익성아 나빠질 가능성이 매우 높고, 이어지는 하락장에서 패닉에 빠져 반등까지 버티지 못하고 저가에 매도한다면 큰 손실을 보게 될 것이다. 간혹 운이 좋아 높은 수익을 올릴 수도 있겠지만, 이를 운이 아닌 자신의 출중한 투자 실력 덕분이라는 착각과 자만심에 빠져 위험 자산에 더더욱 몰빵하면서 결국 폭망에 이를 가능성이 크다 하겠다. 흔한 말로 고액의 복권에 당첨될 확률은 벼락맞을 가능성보다 낮다고 하지 않던가, 이는 주식 시장에서도 매한가지다.

과욕을 부리는 투자자의 특징 2. "조금만 더…"를 외치며 주식을 팔지 않고 끝까지 쥐고 있는다…

'고레카와 긴조'는 한 때 '일본 주식시장의 신'으로까지 불렸던 인물이건만 그 역시 상승장에서 주식을 제 때 팔지 못해 큰 손실을 본 적이 있는지 "투자를 할 때 가장 어려웠던 것이 '조금만 더'의 유혹이었다"라는 실토를 한 적이 있다. 그는 자신의 이러한 쓰라린 경험에 비추어 "투자에서의 과욕은 죽음을 의미하기에 원하던 기대이익이 실현되면 재빨리 발을 빼라"며 조언하지만 (필자를 포함한) 대부분의 투자자들은 그 놈의 욕심과 미련 때문에 그의 말을 쉽사리 따르지 못하는 것이 현실이다. 그는 또 증권가의 오랜 속설인 "무릎에서 사서 어깨에서 팔아라"와 상통하는 "천장을 사지 않고 바닥을 팔지 않는 마음 자세로 투자에 임하라"며 덧붙이지만, 우리 마음 속의 미련은 손을 움직여 귀를 꽉~ 막아 버리고 우리 머리 속의 욕심은 천장을 뚫고 저 멀리 높은 하늘로 날아 오른다. 그리고 그 끝은...

과욕을 부리는 투자자의 특징 3. 급등 주식만 쫓다가 상투 잡고 폭망한다...

대다수 개인 투자자들은 주가가 상승하기 전까지는 주식 자체에 별다른 관심이 없다가 주가가 오르기 시작하면 서서히 관심을 보인다. 그러다 주변에서 돈을 벌었다는 소식이 들려오기라도 하면 '배 고픈 건 참아도 배 아픈 건 못 참는' 이상(異常) 경쟁 심리가 발동하며 본격적으로 시장에 뛰어들고 말이다. 그럼 그 이후에는 어떻게 될까? 그렇다, 이런 부류의 사람들은 대체로 주식을 비싸게 산다. 비록 주식을 비싸게 샀더라도 상승장에서 적당한 타이밍에 (주식을) 매도해 수익을 챙기면 좋으련만, 돈을 더 벌 욕심으로 매도를 하기는커녕 추가 매수를 이어나간다. 하지만 달도 차면 기우는 법, 어느덧 주가가 고점을 지나 조정 국면에 접어 들더라도 본전 생각에 손절하지 못하고 다시 반등할 날만 기다리다가, 즉, '나보다 더 비싸게 내 주식을 사줄 그 누군가'를 오매불망 기다리다가 주가가 크게 빠진 후에야 깡통을 찰 지도 모른다는 공포감에 헐값에 투매를 하고 만다. 그리고 주식을 내다 팔자마자 주가는 바로 회복세로 돌아서 쭉쭉 양봉을 그리고...속 은 새까맣게 타 들어간다...

과욕에서 벗어나 성공하는 투자를 하려면...

...너무나도 당연하겠지만 앞서 소개한 투자자들의 정반대로만 하면 된다. 즉, 요행을 꿈꾸며 고위험 자산에 투자하는 대신 저위험 안전자산에 장기 투자하고, 오르는 주식을 끝까지 쥐고 있지 말고 자신이 설정한 수익 기준에 달하면 바로 매도해서 수익을 챙기며, 급등 주식만 쫓다가 상투를 잡는 대신 하락장에서 실질 가치보다 저평가된 주식을 소위 말해서 '줍줍 (저렴할 때 구입하는 것)' 하면 되는 것이다. 물론 실천이 말처럼 쉽진 않겠지만..

이러한 행동 지침이 너무 추상적이라 느끼시는 분들을 위해 (과욕에서 벗어나기 위한 실천방안에 대해) 보다 더 구체적으로 말씀 드리면, 첫째, 섣부른 탐욕으로 (주식을) 매매하며 돈을 잃을 시간에 국제 경제 전반 및 향후 주가 향방에 대한 심도 높은 학습을 하고, 둘째, 그렇게 축적된 지식과 정보를 기반으로 1년 혹은 최소한 반년 정도 모의 투자를 하면서 실전 감각을 익히는 동시에 (투자 결정시) 감정을 배제하는 훈련을 하며, 셋째, 실제 투자를 할 때는 앞서 등장했던 '고레카와 긴조'가 주창한

'복팔분(腹八分)의 원칙 (위장 크기의 80%만 먹으면 의사가 필요 없듯이 주식 투자를 할 때도 목표 이익의 80%만 달성하면 주식을 팔아 수익을 챙기라는 것)'에 따라 욕심을 버리고 확실한 이익을 확보하라는 것. 결론 : '주식'하면 으레 한번에 팔자 고친다는 생각에 욕심을 부리기 쉽지만 그런 기회는 거의 찾아오지 않는다. 지겹도록 반복하지만, 주식 역시 '티끌 모아 태산'이라는 대명제를 잊지 마시길…

일확천금 같은 것은 없다, 반복에 지치지 않는 자만이 성취한다!

자, 그럼 이제 앞서 등장했던 밀레와 브르동으로 다시 돌아가 보도록 하자. 가난한 농부의 아들로 태어난 밀레는 극렬 사회주의자라는 오해를 살만큼 그림 속에 노동계급의 현실을 숨김없이 표현한 반면, 대지주의 농토를 관리하던 중상류층에 속하는 감독관 (밀레의 그림에 등장한 '말을 탄 사람'…) 집안에서 태어난 브르동은 풍요로우면서도 여유로운 농촌 생활을 주로 그렸다. 어찌 보면 이들은 필자가 별로 선호하는 표현은 아니지만 '프로렐타리아'와 '쁘띠 부르주와 (자본가와 노동자 사이의 중산층)'라는 자신들의 출신 성분(?)에 맞게 그림을 그렸던 것. 반면 이들과 비슷한 시기에 활동했던 인상파 화가들은 이들과는 정반대의 성향을 보였으니, 즉, 부유한 은행가 가문 출신인 '에드가 드가'가 당시 하층민으로 여겨졌던 무용수 (19세기 유럽에서 무용수는 소위 말하는 '거리의 여인들'과 비슷한 대우를 받았다)나 생계를 위해 세탁 혹은 다림질하는 여인들을 주로 그렸던 것과 달리 가난한 노동자 가정에서 태어난 '오귀스트 르누와르'는 '행복을 그린 화가'라는 그의 별칭처럼 여유롭기 그지없는 중상류층의 즐겁고 아름다운 순간을 화사하면서도 따뜻한 색채로 표현해 냈으니.

그렇다면 태생적으로 입에 물고 태어난 '수저'는 물론 예술을 통해 표현하고자 했던 것도 서로 달랐던 이들의 공통점을 굳이 꼽아 보자면 어떤 것이 될까? 아마도 그것은 바로 이들 모두 세상을 떠나는 순간까지 쉬지 않고 꾸준히 그림을 그렸다는 것이 아닐까? 물론 그들 대부분은 살아 생전 드높은 예술적 명성과 함께 돈도 많이 벌긴 했지만, "내가 원한 건 부귀와 번영이 아니라 평화와 안정이다"라는 밀레의 말처럼, 그리고 손가락 관절이 마비됐으면서도 붓을 손에 묶고 계속 그림을 그리며 "고통은 순간이지만 아름다움은 영원하기에 (계속 그림을 그린다)"라고 한 '르누와르'처럼, 그들은 모두 꾸준한 창작 활동을 통해 일확천금이 아닌 평온한 상태에서의 행복과 영원한 아름다움을 꿈꾸었던 것이다. 음, 허면 이 장의 결론은 이미 정해져 있는 것과 마찬가지다. 과욕을 멀리하고 꾸준히 노력 하라, 그리고 매 순간 최선을 다하라. 티끌 모아 태산이듯 (어느 작가의 말처럼) 반복에 지치지 않는 자가 성취할 것이니. 투자이건, 예술이건 간에...

열 번째. 두려워하지 말라, 만일 두렵다면 지식으로 해결하라!

아마 많은 분들께서 현대 호러물의 시초라 할 서양 고딕 소설의 대표작으로 '프랑켄슈타인'과 '뱀파이어'를 꼽으실 것 같다. 그런데 이 두 작품은 태생적으로 아주 미묘하게 얽혀 있는데, 영국 시인 '조지 바이런(George Byron, 이하 바이런)'과 그의 주치의였던 '존 폴리도리(John Polidori, 이하 폴리도리)'가 1816년 5월 스위스의 한 별장에서 휴가를 보내고 있을 때 역시 시인인 '퍼시 셸리(Percy Shelley)'가 그의 연인 '메리 고드윈(Mary Godwin)'과 함께 그곳을 방문했고, 허구한 날 비가 내려 지루해진 바이런이 "각자 기괴한 이야기를 하나씩 써보자!"는 제안을 했으니. 그리하여 폴리도리는 바이런이 쓴 미완성 글에 살을 붙여 '뱀파이어'라는 소설을 완성해 그의 여자 친구한테 줘버렸는데...출판하려는 마음이 눈곱만치도 없었던 그는 이 글이 3년 뒤 런던의 한 문학 잡지에 실린 것을 알고는 대경실색했으니. 헌데 오늘날 이 소설은 명실상부한 최초의 흡혈귀 문학으로 인정받고 있으니 이 또한 역사의 아이러니라고나 할까. 그리고 메리 고드윈은 그곳에서 쓴 '프랑켄슈타인'의 초안을 바탕으로 그 다음해에 소설을 마무리 하여 출판하게 된다.

소설 '프랑켄슈타인'과 그림 '악몽'의 관계는?

훗날 퍼시 셸리와 결혼하며 이름을 '메리 셜리'로 바꾼 프랑켄슈타인의 저자는 소설 '뱀파이어' 말고도 바로 위에 소개한 회화 '악몽(the nightmare, 1781년 작)'과도 관련되어 있는데, 이는 그녀의 모친이자 페미니즘의 선구자인 '메리 울스턴크래프트(Mary Wollstonecraft)'가 한 때 이 작품의 작가인 '헨리 푸젤리(Henry Fuseli, 이하 푸젤리)'의 연인이었기 때문이다. 푸젤리와 헤어진 후 파리로 간 그녀는 프랑스 혁명을 옹호하는 논문을 발표하는 한편 무정부주의자와 결혼해 메리를 낳았던 것. 결과적으로 공포스럽기 그지없는 예술 작품들과 이리저리 얽히고 설켜 있

는 '메리 셜리'는 태생적으로 호러 장르의 대표작을 쓸 운명을 타고 났는지도 모를 일이다.

자, 그럼 그녀에 대한 이야기는 이 장의 결론 부분에서 다시 꺼내도록 하고, 이제 푸젤리가 그린 위의 작품을 잠시 들여다 보도록 하자. 한 여인이 넋을 잃은 듯 잠들어 있는 가운데 그녀의 발 밑에서는 말 한 마리가 커튼 사이로 머리를 쑥~ 내밀고 있다. 이 동물의 눈은 흰 구슬을 박아 넣은 듯 섬뜩하게 튀어나와 있고, 갈기는 붉게 타오르는 듯이 보인다. 하지만 이보다 더 경악스러운 건 여인의 배 위에 또아리를 틀고 앉은 무시무시하게 생긴 괴물일터. 흉측한 외모도 외모지만 부리부리한 눈초리로 관객들을 뚫어지게 쏘아 보고 있어 더더욱 공포스럽다. 음, 그래서 그런지 이 그림은 왠지 우리 인간들의 원초적인 공포심을 표현하고 있는 것만 같다. 즉, 우리가 곤한 잠에 빠져 있을 때 무언가 무서운 것이 내 목숨을 앗아가기 위해 몸에 올라타 있는 것은 아닐까, 혹은 기이한 존재가 나를 해하려고 침대 밑에 밤새 숨어 있는 것은 아닌가, 하는 그런 종류의 근원적이면서도 괴기스러운 공포 말이다.

투자자들을 밤새 괴롭히는 공포는? 그리고 그러한 공포를 극복하는 방안은?

영어로는 'Incubus' 혹은 'Succubus'라 불리는 '밤의 악령(들)'이 잠들어 있는 인간을 공포로 몰아 넣는다면, 투자자들을 시도 때도 없이 공포에 떨게 만드는 '악령'에는 대체 어떤 것들이 있을까? 이들의 출몰 시기에 따라 매수와 매도 시점, 그리고 기타로 나누어 살펴 보도록 하자.

① 매수 시점 : 잘못된 종목을 산 것이 아닐까? / 너무 비싼 가격에 사는 건 아닐까? / 너무 많이 (혹은 적게) 산 건 아닐까? / 매수 시기를 잘못 고른 건 아닐까? / 내가 투자하려는 종목이 상폐된다면? 혹은 해당 기업이 도산한다면? 등등

② 매도 시점 : (주가 상승기) 이미 팔았어야 했는데 적기를 놓친 것은 아닐까...매도하는 대신 같은 종목을 이 가격에라도 더 사야 하는 것일까? 지금은 (주가가) 오르고 있지만 바로 하락세로 전환할 수도 있으니 당장 팔아버리는 것이 맞는 건가? / (하락기) 이미 손절했어야 했는데 적기를

놓친 건 아닐까? 쌀 때 조금이라도 더 사서 물타기를 해야 될까? 여기서 더 떨어져서 반토막 나면 어쩌지? 당장 내일 급락한다면? 단기적인 하락이 아닌 장기 경기침체라도 오면 어쩌나? 등등

③ 기타 : 러시아와 우크라이나의 전쟁, 미중 무역갈등, 기후 위기와 각종 자연 재해로 주가가 폭락하면 어쩌나? / 미국 이자율 등 경기지표가 급격히 변동하면 주가가 떨어지지 않으려나? / 석유 등 자원 가격이 급격히 올라가면 내가 산 종목의 주가에 악영향을 미치지는 않으려나? 등등

필자보다 더 깊은 전문성을 가지신 분들께서는 물론 이보다 훨씬 상세하게 (투자와 관련된) 공포를 분류할 수도 있겠지만, 일단 위와 같이 단순화해서 구분해 보았다. 필자의 판단에 투자자들이 겪는 공포는 매수 시점보다는 수익과 손실이 결정되는 매각 시점에, 그리고 주식의 가치가 올라가는 (주가) 상승기보다는 돈을 잃을 가능성이 큰 하락기에 몇 배 더 크게 증폭될 것 같다. 특히 주가 하락기에 자신이 보유한 주식이 '떡락' 해버린 투자자들은 공

포에 질려 어떤 행동을 하는가? 그렇다, 숨이 막힐 정도의 공포감에 휘말린 투자자는 모든 걸 다 잃을 수도 있다는 불안 때문에 싼 값에 주식을 투매해 버리고는 막대한 손실을 본 채 시장을 떠나게 된다. 이 곳에 다시는 발을 들여 놓지 않겠다는 굳은 다짐과 함께. 그러면 바로 다음날부터 주가가 반등해 주식 시장이 술렁대기 마련이고. 이런 상황에 가만히 있을 수 있나, 이 미련한(!) 투자자는 돈을 빌려 또 다시 투자에 나선다. 그리고 이러한 과정이 계속해서 돌고 돌고 돈다...

이렇듯 투자 과정 중에 계속적으로 공포와 불안에 시달리는 것을 넘어 최악의 경우 투자한 돈의 대부분을 잃는 악순환을 끊기 위해서는 어떻게 해야 할까? 첫째, 애초부터 자신의 자산 상태 및 위험 감수 성향을 파악한 후 투자에 임해 근원적으로 공포를 제거해야만 한다. 즉, 자신이 감당할 수 있는 만큼의 금액만 투자하라는 것. '자신이 감당할 수 있을 만큼의 금액'의 의미가 좀 애매하기도 하지만, 어느 주식 고수에 따르면 이는 '하루 밤 사이에 다 날려도 발을 쭉~ 뻗고 푹~ 잘 수 있는 만큼'의 금액이라고 한다...그리고 한 번 생각해 보시라. 투자를 시작한지 단 1년 만에 아무리 높은 수익을 올렸다 해도 일 년 365일을 하루 24시간 내내 손실에 대한 공포와 불안으로 자신은 물론 주위 사람마저 힘들게 한다면 그게 얼마나 큰 의미가 있을지 말이다. 한 마디로 자신이 감당할 수 있을 만큼만 투자해서 손실에 대한 공포를 원천적으로 제거하는 것, 이것만이 궁극적으로 우리 모두를 평안으로 이끌 것이다. "유혹은 이기는 것이 아니라 피하는 것"이라는 어느 교수님의 말마따나 공포 역시 이기려고 하는 것보다 피하는 것이 상책이다.

둘째, 경기는 어차피 순환하는 것이라 생각하고 폭락장에서도 마음을 편하게 갖는다. 실증적 그리고 이론적으로 입증된 것처럼 경기는 항상 순환하며 이에 따라 주가 또한 오르락 내리락 하는 것이 정상이건만, 자신이 보유한 주식의 가치가 조금이라도 떨어지기라도 하면 마치 지구가 내일 당장 멸망할 듯 낙담하는 투자자들이 가끔씩 눈에 띈다. 보통 주식시장은 1년에 적어도 한 두 번씩은 대략 7~10% 정도 급락했다가 다시 회복 하곤 하지만 큰 돈을 잃을 수도 있다는 공포에 휩싸여 결국 큰 손해를 보며 투매를 하는 경우도 많고. 하지만 머리 속으로 한 번 찬찬히 생각해 보시라. 역사적으로 전세계 대부분의 주식 시장에서 이루 헤아릴 수 없이 많은 '떡락'이 있었건만 아직도 해당 주식들은 잘만 '떡상'하고 당사국 경제도 잘만 돌아가지 않는가. 물론 경기 불황이 예상보다 오래 지속될 수도 있지만, 이런 현상은 그리 흔하지 않을뿐더러 예전 수준으로 다시 회복될 가능성도 높다는 것만 기억하시길. 고속도로 곳곳에 산재해 있는 터널도 입구에 들어설 때는 영원히 계속 될 듯 하지만 머지 않아 끝을 보이는 것처럼 영원할 것만 같던 IMF, 리만 사태, 그리고 코로나도 진작에 종식되지 않았던가...

셋째, 자극적인 언론 보도에는 신경을 딱(!) 끊는다. 국내외 주식 시장이 흔들릴 때마다 몇몇 언론 매체들은 늘상 공포스럽기 짝이 없는 제목을 뽑아 독자들을 우롱하곤 하는데, 실제로 그들은 기껏 2~3개월 만에 주가가 다소 큰 폭으로 하락한 것을 두고는 '주식시장, 올 하반기 최대 낙폭으로 폭락!'과 같은 문구를 대문짝만하게 보도하기도 한다. 당연한 귀결이겠지만 자극적인 제목은 네티즌들의 클릭 수를 늘리고, 클릭 수가 많아지면 광고를 비롯한 언론사의 수입이 늘어난다. 언론도 기업이기에 그들 역시 더 많은 광고와 수익을 위해서라면 항시 발 빠르게 움직이고 말이다. 게다가 최근엔 인터넷의 확산으로 소위 '기레기'라 불리는 과장되고 부풀린 인터넷 기사로 독자들을 유혹하는 사이비 기자들도 많지 않던가. 상황이 이러하기에 자극적인 언론 보도는 아예 들여다 보지도 않거나, 혹은 그냥 이런 것도 있구나 하고는 쓱~ 하고 훑어 보고 넘기는 것이 쓸데없는 공포에 빠져들지 않는 최상의 방법이라 하겠다.

넷째, 시장에 만연한 공포를 두려워하는 대신 좋은 투자 기회라 생각하고 실행하라. 앞서 언급한 것처럼, 주식 고수들은 주가 폭락으로 대다수의 사람들이 공포에 질려 주식을 내다 팔 때가 오히려 기회이므로 이 때를 놓치지 말고 주식을 사라고 조언한다. 그 이유야 당연하지 않은가, 주식 역시 상품일진데 예전보다 가격이 크게 떨어진데다 어차피 경기는 순환하므로 (만일 좋은 주식이라면)

향후에 주가가 다시 회복될 가능성이 굉장히 높기에 그렇겠지. 비단 삼척동자도 다 아는 얘기를 또 다시 반복하는 이유는, 공포에 대한 인간의 원초적인 회피 본능을 억누르고 행동으로 옮기는 것이 참으로 쉽지 않기 때문이다. 아무리 자기 암시를 반복해서 한다 해도, 아무리 공부를 많이 해도 배짱과 실행력이 하루 아침에 바로 생기는 것은 아닐 터, 자신의 마음 가짐 및 행동 양식 자체를 변화시키기 위한 각고의 노력이 필요하다고 하겠다.

다방면에 걸친 심도 높은 지식이 우리의 공포를 없애줄 것이다!

자, 그럼 이제 프랑켄슈타인과 뱀파이어를 탄생시킨 주인공들의 이야기로 다시 돌아가 보도록 하자. '공포'에 대해 프랑켄슈타인의 저자인 메리 셜리는 "공포는 인간이 만들어 낸 것일 뿐이다"라며 이는 인간이 자의적으로 만들어낸 추상적인 개념에 불과하기에 얼마든지 극복 가능하다는 식의 견해를 밝힌 반면, 영국의 위대한 시인이자 최초의 흡혈귀 소설인 '뱀파이어'의 초안을 쓴 바이런은 "공포는 인간이 이 세상에 나타나기 전부터 존재했고 인간이 사라진 다음에도 남을 것이다. 그리고 공포에는 기묘한 아름다움이 있으며, 미녀의 모습은 그 자체만으로도 아름답지만 거기에 한 줄기 피가 흐르고 있으면 더욱 아름다울 것이다"라는, 로맨틱하면서도 악마주의에 심취한 듯한 의견을 개진하기도 했다. 한편 '악몽'을 그린 화가 푸젤리는 "환상의 참된 바탕은 학문적 지식"이라 주장하며 감성보다는 지성을 앞세워 셰익스피어의 희곡과 그리스-로마 신화에 대한 심도 높은 지식을 바탕으로 인간의 공포를 몽환적으로 화폭에 표현해 냈으니. 그러하기에 그가 작품 속에 창조한 '공포'는 메리 셸리처럼 추상적이지도, 또한 바이런처럼 로맨틱하면서도 악마주의와 관련이 있지도 않은, 올곧이 그가 가진 지식의 산물이라 하겠다. 흠, 그렇다면 이렇듯 푸젤리가 풍부한 지식을 토대로 무시무시한 공포를 만들어 낸 것처럼, 공포를 없애기 위해서 필요한 것 역시 심도 깊은 지식이 아닐까? 마치 '독은 독으로 다스린다'는 이독제독(以毒制毒)이라는 고사성어처럼 말이다.

이러한 관점에서 볼 때 미국 월스트리트의 유명 투

자가인 윤제성 회장이 쓴 '윤제성의 월가의 투자'라는 책의 내용 중 일부는 매우 흥미롭다고 할 수 있는데, 그는 제대로 된 투자 결정을 하기 위해서 하루의 대부분을 월스트리트저널, 파이낸셜타임즈, 이코노미스트, 블룸버그, CNBC 등의 경제 관련 신문이나 잡지, 혹은 온라인 매체의 기사를 유심히 읽으면서 보낸다고 하며, 유명 투자 은행에서 발행하는 리서치 페이퍼 역시 꼼꼼히 살핀다고 한다. 또한 그는 하워드 막스, 워렌 버핏, 스탠리 드러켄필러 등과 같은 전설적인 투자자들을 정신적인 멘터로 삼아 주기적으로 그들이 쓴 책과 어록을 살피며 투자 결정에 도움을 받는 동시에 피터 자이한, 조지 프리드먼 등 국제 정치계의 석학이 쓴 세계 질서의 변화 및 앞으로의 정치 변동 등 경제 상황에 영향을 줄 수 있는 정보 역시 습득하여 장기적인 투자 결정에 반영한다고 하니. 그는 비록 이렇듯 매일 매일 반복되는 광범위한 학습의 루틴(Routine)이 제대로 된 투자 결정을 하기 위한 준비 과정이라고 밝혔지만, 필자가 보기에 이는 투자 실패에 대한 공포를 최소화하기 위해, 혹은 (설령 자신이 내린 투자 결정이 결과적으로는 실패했다 해도) 자신의 판단이 단순히 주먹구구식으로 나온 것이 아닌 투자 성패에 영향을 줄 수 있는 모든 요소를 파악한 후 도출된 탄탄한 논리에서 기인 한 것이라는 확신을 갖기 위해서 인 것 같기도 하다. 그 역시 투자에 실패한 후 모든 거래를 중단한 채 한동안 휴식기를 가진 적도 있었지만, 이러한 과정을 통해 새로운 것을 익히고 자신의 약점을 보완해 나가며 지금의 자리에 올랐다고 한다. 결론적으로, (투자자들의) 공포를 악용해 돈을 앗아가려는 사냥꾼들이 득실대는 이 무시무시한 시장에서 살아 남을 수 있는 유일한 방법은, 최대한 '넓고 깊게' 최신 정보 및 고수들의 가르침을 습득하여 투자에 대한 자신만의 탄탄한 논리를 갖추는 것이라 하겠다. 물론 위에 언급한 공포를 극복하는 네 가지 방법 (자신의 자산 상태 및 위험 감수 성향 파악, 경기는 순환하는 것임을 인식, 자극적인 언론 보도는 외면, 시장에 만연한 공포를 기회로 활용) 역시 반드시 기억하면서 함께 실천해야 나가야 할 것이고 말이다.

오늘날 추상미술의 선구자로 추앙 받는 러시아의 '카지미르 말레비치Kazimir Malevici)'의 그림은 (그가 1915년 완성한 '절대주의 구성'이라는 아래 작품에서 보시는 바와 같이) 우리가 쉽게 다가서기 어려우며, 그의 그림이 위치한 전후 미술사의 배경과 작가의 의도를 어느 정도 이해해야만 작품에 다가가 대화가 가능하다.

이렇게 이해된 (그의) 그림 앞에서 우리는 그제서야 "오호라!"하고 외치며 이마를 치게 되는 것이고. 결국 추상미술을 포함한 현대 미술을 이해하기 위해서는 보고, 느끼는 것에 그치지 않고 반드시 '알아야만' 한다. 즉, 작품을 제대로 감상하기 위해서는 사전에 충분한 지식을 습득하

는 것이 필수 전제조건이라는 것. 이처럼 현대미술의 중심 축을 이루는 추상미술을 이해하기 위해서는 그 근저에 위치한 지식이 필요한 것처럼, 원초적인 존재 혹은 투자에 대한 공포를 극복하기 위해서 필요한 것 역시 (위에서도 수 차례 언급한 것처럼) '깊고 넓은' 지식이 될 것이다. 물론 우리가 항상 성공만 할 수는 없겠지만, "진리가 너희를 자유롭게 하리라"는 어느 성인의 말씀처럼, "지식이 우리를 공포로부터 자유롭게 할 것"임을 명심하면서 찬찬히 실천해 보도록 하자.

지금까지 우리는 다양한 미술 작품 속 내용을 통해 ①자기가 가장 잘 아는 것에 투자 할 것, ②좋은 주식을 살 것, ③(좋은 주식으로 구성된) 포트폴리오를 구성 할 것, ④재테크 전문가를 무조건적으로 신뢰하지 말 것, ⑤결정은 신중하게 하되 행동은 신속하게 할 것, ⑥충동과 섣부른 감정을 경계할 것, ⑦잘 보이지 않는 주식을 발굴 할 것, ⑧나쁜 투자 습관을 버릴 것, ⑨과욕을 부리지 말 것,

⑩공포를 극복할 것 등 총 10가지 투자 요령을 살펴 보았으며, 항시 이러한 방법을 활용하여 자신의 투자 전략을 먼저 수립한 후 좋은 주식을 찾아 자신의 성향에 맞게 투자한다면 (투자) 성공에 가까이 다가가는데 큰 도움이 될 것이다.

제3부. 결론

이 책의 1권과 2권을 통해 지금껏 서론 (이 풍진 세상을 어떻게 헤쳐 갈꼬?), 본론 (본원적 축적, 정보 수집과 활용 방법, 미술관에서 배운 실제 투자 요령)을 그림과 함께 살펴 보았으며, 이제는 이 책의 결구에 해당하는 '최종 코멘트(Final Comments)' 5개를 전달하며 대단원의 막을 내리고자 한다. 자, 바로 시작해 보자.

첫 번째. 지금이라도 늦지 않으니 바로 시작하라!

1969년 미국에서는 '그랜마 모지스(Grandma Moses)'라는 화가의 '7월4일 (July Fourth, 미국 독립 기념일)'이라는 작품을 바탕으로 만들어진 우표가 발행되었는데, 본명인 '앤 매리 로버트슨 모지스(Anne Mary Robertson Moses)'보다 '그랜마 모지스'로 더 유명한 그녀는 76세라는 늦어도 한참 늦은 나이에 그림을 그리기 시작해 101세에 세상을 떠날 때까지 무려 1,600 점(!)에 달하는 작품을 남기셨다고 하니. 음, 그렇다면 그 전에는 대체 무슨 일을 하셨길래 여든이 가까운 나이에 그림을 그리기 시작하신 걸까? 물론 젊었을 때도 가끔씩 그림을 그리시기도 했지만, 열 명이나 되는 자식을 보살피시느라, 또한 농사일로 너무 바쁘셔서 그림 그릴 시간이 거의 없으셨다고 한다. 이러저러한 이유로 76세가 되어서야 본격적으로 그림을 그리시기 시작한 할머니께서는 20세기 초 미국의 시골 풍경을 단순하면서도 밝은 화풍으로 표현해 평단과 대중의 각광을 한 몸에 받으셨으니. 그 후 노령에도 불구하고 꾸준히 그림을 그리셔서 88세에는 '올해의 젊은(?) 여성'으로 선정되었고, 93세에는 '타임지' 표지를 장식했으며, 뉴욕시에서는 그녀의 100번 째 생일을 '모지스 할머니의 날'로 선포하기도 했다. 그리고 할머니께서는 "내 일생은 충실히 보낸 하루와 같았다. 나는 행복했고 만족했다. 나는 어떤 것도 그보다 더 좋을 수는 없었고 주어진 삶을 최대한 잘 살았다. 삶이란 우리가 만들어가는 것이다. 항상 그래왔고 앞으로도 그럴 것이다"라는 명언을 남겨 수많은 이들의 귀감이 되기도 했으니.

옛 속담에 "늦었다고 생각할 때가 가장 빠른 때다"라는 말이 있기도 하지만, 필자의 판단에 늦었다고 생각하는 때는 그냥 늦은 때일 뿐이다. 하지만 아무리 늦었다 해도 쉽게 포기하는 대신 뭐라도 하는 것이 그냥 빈둥거리는 것보다 삶의 질적인 측면에서 훨씬 나은 것은 물론, 위에 소개한 모지스 할머니처럼 인류사에 길이 길이 남을 명작을 남길 여지가 조금이라도 생길 것이다. IMF나 리만 혹은 코로나 사태가 지나간 후에 우리는 항상 "아, 그때가 정말로 천우신조의 기회였는데!"라고 소리치지 않았던가! 그리고 작년에도 올해도 매년 연말이면 똑같은 비명을 고래고래 질러댈 것이고. 이렇듯 후회만 하며 인생을 계속 허비한다면 결국 우리를 기다리는 건 오직 저승사자뿐일 것임은 너무나도 자명하다. 그러기에 아무리 늦었다고 느끼더라도 지금이라도 투자에 대한 공부를 시작하시기 바란다. 그리고 실천 중에 꼭 기억하시길. '늦을수록 천천히'라는 뜻의 'Festina lente'라는 라틴어 격언을. 여기에 필자가 한마디 더 덧붙이자면, '늦을수록 천천히, 하지만 꾸준히'.

두 번째. 헛된 낙관주의를 경계하며 냉정하게 현실을 직시

하자!

"아무 것도 안 하면 쓸모 없는 사람입니까? 뭘 해야 될지 모르면 안됩니까?"

"도대체 취업 못한다고 뭐가 문제입니까? 그냥 그렇게 살면 됩니다. 여러분, 저 분 보기 좋지 않아요?"

몇 년 전 언뜻 흘려 듣기엔 따뜻한 위로요, 진정한 격려로 가득 찬 것만 같은 강연을 주로 해온 한 방송인에게 비난의 목소리가 거셌던 적이 있었는데, 그 이유는 바로 그가 현실적인 대안은 전혀 제시하지 못하면서 상대방 기분에 맞춰 입에 발린 얘기만 한다는 것이었다. 이에 반해 한 때 최정상급 스포츠 선수였던 또 다른 방송인은 "즐기는 자를 이길 자가 없다는 다른 사람들의 말을 절대 믿지 마라. 정상에 이르는 길은 정말로 멀고 험하며, 그걸 지키는 것은 더더욱 힘들다"라면서 지금 당장은 어렵고 힘들더라도 오랫동안 버티다 보면 무언가라도 성취할 수 있을 것이라 일갈했다. 그리고 그는 "나중에 늙어서 후회하지 않으려거든 지금이라도 인생의 목표를 재정립하고 하루 하루 부지

런히 살라!"고 젊은 청중들에게 따끔한 일침을 가해 많은 이들의 공감을 받기도 했으니. 이 글을 통해 누구의 말이 맞고 틀리다 라는 것을 가리자는 것은 아니지만, 한 때 베스트셀러였던 '아프니까 OO이다' 혹은 어느 지하철 방송에서 흘러나왔다는 "고민과 걱정은 열차에 모두 다 놓고 내리세요~"와 같은 말들은 근본적인 대안이 아닌 일시적인 진통제 역할밖에 하지 못한다는 것이 필자의 소견이다. 왜? 현실은 아무 것도 바뀐 것이 없으니까.

한편 어찌 보면 위에 소개한 유명 스포츠 스타 출신 방송인의 발언과도 상통한다고 할 독일 철학자 '쇼펜하우어(Arthur Schopenhauer, 아래 사진)'의 명언들이 최근 우리나라에서 큰 인기를 끌고 있는데, 그 이유에 대해 출판 관계자들은 그간 천편일률적인 자기계발서들의 거짓 위로에 지친 독자들이 이른바 그의 '거침없는 팩폭 (팩트 폭격 혹은 팩트 폭력)'에 깊은 감동을 받음은 물론 이를 통해 미래에 대한 새로운 희망을 보게 되기 때문이라고 입을 모은다. 여기서 잠시 주옥같은 그의 명언을 몇 개만 소개해 보면,

"산다는 것은 본래 괴로운 것",

"삶은 진자(Pendulum)처럼 고통과 무료함 사이를 왔다 갔다 하는데, 사실 이 두 가지가 삶의 궁극적인 요소",

"천국과 지옥을 동시에 경험 할 수 있는 것이 바로 사랑",

"인간은 오직 고독을 통해서 진정한 자기 자신을 알게 된다",

"좌절을 경험한 사람만이 자신만의 역사를 갖게 된다. 그리고 인생을 통찰할 수 있는 지혜의 길로 들어선다",

"좋은 습관을 기르는 습관이 있다면 그것은 인내다" 등등이 되겠다.

음, 언뜻 그의 글은 염세주의 철학자라는 그의 본색(?)처럼 우리를 비관주의의 깊은 늪 속으로 끌고 들어가는지도 모르지만, "괜찮아", "잘하고 있어"라는 등의 하나 마나 한 형식적인 격려나 위로가 아닌 차갑고도 명확한 현실 인식에 바탕을 둔 조언이기에 우리 마음을 격하게 요동치게 만든다. 우리네 일상에서도 무심하게 주위 사람들이 툭툭 던지는 "넌 잘할 거야", "이 일은 분명 잘 될 거야"라는 성의 없는(?) 말보다 오랜 관찰을 통해 나의 나쁜 습관을 꿰뚫어보고서는 날카로운 가르침을 전하는 분들의 말씀이 더 도움이 되는 경우가 많고, 직장에서도 "그래, 그래, 잘하고 있어", "그냥 그렇게 대충 하면 되겠네"라는 등의 허울 좋은 칭찬보다 (내가 작성한) 보고서의 내용 혹은 구성 하나 하나를 주의 깊게 살펴 미처 내가 발견하지 못한 점을 지적해 가슴을 뜨끔하게 만드는 상사의 한 마디가 업무 수준을 끌어 올리는 데에 훨씬 더 큰 도움이 된다는 것은 두말할 나위가 없을 것이다. 즉, 독설가의 충고가 당장 귀에는 고깝게 들릴 지 몰라도 앞으로의 인생살이에는 훨씬 더 소중한 지침이 될 수도 있다는 것! (물론 조언을 해주는 사람의 관찰력, 업무 역량 등에 따라서 그러한 조언 간에 큰 수준 차이가 날 수도 있다...또한 상대에 대해 얼마나 큰 애정을 갖고 그러한 독설을 퍼붓는지에 따라서도...)

그리고 이는 투자에서도 마찬가지일 터, 이번엔 분명

대박 일 거라는 감언이설로 가득한 투자 권유에 혹해 제대로 된 검토도 하지 않고 아무런 의심은 물론 생각도 없이 거액의 투자를 해버린 사람의 마음 속은 "이번에는 진짜다!", "나는 언제나 운이 좋았기에 이번에도 좋을 것이다!"라는, 근거라고는 1도 없는 자신감과 낙관주의로 가득할 것이다. 하지만 앞서 누누이 언급했던 것처럼, 투자를 결정할 때 가장 경계해야 할 것이 바로 그러한 (타인의) 감언이설과 (자신의) 낙관주의라 하겠다. 오히려 투자에는 "최선을 바라되 최악을 준비하라(Hope for the best, plan for the worst)"는 명언을 머리 속에 넣고 임해야 할 것이며, 항시 현실적으로 투자 수익율이 얼마나 될 지 그리고 이번 투자를 망쳐버릴 변수가 무엇인지 확인하고 그에 대한 회피 방안도 검토한 후에 (투자)해야 할 것이다. 또한 그러한 과정 중에 이번 투자를 해서는 안되는 이유에 대해 탄탄한 논리를 제시하는 사람이 있다면 그의 말을 주의 깊게 경청한 후 결정을 한다면 정말로 최선일 것이고.

그럼 여기서 다시 쇼펜하우어로 돌아가 보도록 하자. 삶의 고통과 무가치성(無價値性)을 강조하는 그의 철학은 궁극적으로 금욕을 기반으로 (모든 의지의 속박으로부터 벗어나는) 영원한 해탈의 길을 제시하는데, 이러한 그의 사상과 상통하는 영화 대사 (혹은 소설 속 문장)를 소개하면서 이번 장을 마무리하련다. 1985년 아카데미 7개 부분을 수상한 '시드니 폴락(Sydney Pollack)' 감독의 영화 '아웃 오브 아프리카'는 명작 중의 명작이지만 덴마크의 탐험가 '카렌 블릭센(Karen Blixen)'이 쓴 원작 소설은 이를 훨씬 능가하는 압권이라 할 수 있으며, 그녀는 남자 친구인 데니스에게 마치 자신이 쇼펜하우어라도 된 양 이렇게 외친다.

"자, 우리 쓸데없이 목숨 걸러 가요. 목숨에 아무 가치도 없다는 게, 바로 우리 목숨이 지닌 가치니까요 (Come now and let us go and risk our lives unnecessarily. For if they have got any value at all it is this that they gave got none)."

자, 우리 역시 인생에 아무런 가치가 없다는 것을 증명하기 위해 오히려 더 열심히 살아보는 것은 어떤가? 또한 모든 사람들이 맹목적으로 추구하는 '돈'이라는 가치에서 벗어나 해탈에 들기 위해 투자도 더 열심히 해보고 말이다 (엄청나게 많은 돈을 벌면 빈곤이라는 고통에 희생되지 않음은 물론 돈에 대한 속박에서도 벗어날 수 있을 것이기에!) 말도 안되는 소리 좀 작작 하라고? 아니, 계속 해야겠다. 어차피 이 세상과 우리네 인생은 말도 안되는 모순적인 것들로만 가득 차 있으니. 아니, 우주와 인간이라는 존재가 아이러니(Irony) 그 자체이기에...

세 번째. 그래도 하루 정도는 왕처럼 즐겨보자!

지금으로부터 약 40년 전인 1980년대 말 큰 인기를 끌던 영국 팝가수 중에 '탐슨 트윈스(Thomson Twins)'라는 그룹이 있었다. 이들이 부른 노래 가운데 'Hold me now', 'Doctor, Doctor' 등은 그들의 모국인 영국에서는 물론 미국 팝차트에서도 10위권에 진입하는 등 전세계 팬들의 사랑을 듬뿍 받았었는데, 특히 필자의 관심을 끌었던 것은 'King for a day'라는 곡이었으니. 이 노래는 적당한 빠르기의 댄스곡이어서 어느 때고 듣기 편했음은 물론 수험 생활에 지친 필자의 울적한 기분을 달래주기도 했었다. 어쩌면 "사랑하는 네가 원하는 걸 다 해주기 위해서 단 하루라도 왕이 되고 싶다!"는 지고지순(?)한 남자의 사랑 고백을 담은 곡이기에 더 끌렸는 지도 모르겠고.

한편 이 노래의 제목인 'King for a day'는 흔히 역사 속에 등장하는 '(갑신정변을 일으킨 개혁파들의) 3일 천하' 혹은 '(나폴레옹의) 100일 천하'와 같이 아주 짧은 기간 동안 정권을 잡았다가 사라져 버린 권력 (혹은 권력자)을 뜻한다고 한다. 즉, 자신의 능력이나 정권의 정통성이 아닌 순전히 운빨 또는 실세 권력자의 묵인으로 권력을 쥐고 흔들다가 얼마 못 가 실각하고만 '허수아비 왕'을 가리킨다고 보면 정확할 듯 하다. 헌데 이외에도 이 표현은 문맥에 따라 여러 가지 의미를 갖는데, 실례로 "My computer is being a king for a day(내 컴퓨터는 하루 동안만 왕이었어)"는 구입한 지 단 하루 만에 고장나 버린 컴퓨터의 형편없는 성능을 우회적으로 나타내고 있다. 또한 "After winning the championship, he felt like a king for a day"는 "대회에서 우승하자 그는 마치 그날만큼은 왕이라도 된 듯 기분이 째졌다(!)"는 의미로, 이는 이제 막 예선전에서 우승했기에 내일부터는 (본선 무대를 위한) 지옥훈련이 시작되겠지만 오늘만큼은 마치 왕이라도 된 듯 기쁨을 만끽하겠다는 심정을 표현했다고 보면 될 것 같다.

그런데 위 노래의 주인공은 단 하루라도 왕이 되고픈 열망을 가사로 표현 했을 뿐 실제 왕이 되지는 못했는데, 비록 단 하루뿐이지만 현실 속에서 실제로 왕이 된 사람이 계시니 그가 바로 아래 그림에 등장하는 '콩임금(Bean King)' 이시다.

예로부터 기독교 국가에서는 세 명의 동방박사가 갓 태어난 예수를 알현했다는 1월6일을 '공현제(公現祭)'라 부르며 기리는데, 17세기 플랑드르 (현재 벨기에 서부와 프랑스 북부, 네덜란드 남서부를 포함한 지역)에서도 좀 산다 하는 집에서는 일가 친척 및 친구 등 아는 사람을 죄다 불러모아 큰 잔치를 벌였다고 한다. 특히 그들은 밀가루 속에 콩을 한 알만 넣어 구운 케이크를 잘라 모든 참석자에게 나눠주고는 콩이 들어간 조각을 받은 사람을 왕으로 모시는 놀이를 즐겨 했다고 하니. 즉, 위 그림에서 보시는 바와 같이 '하루 동안 왕(King for a day)'으로 뽑힌 이가 종이로 만든 왕관을 쓰고서 이것 저것 명령을 하면 주변 사람들이 이에 복종하는 척하면서 남녀노소는 물론 개(!)까지 하루 종일 먹고 마시고 노래 부르며 일상의 시름을 달랬던 것. 이 그림의 작가인 '야코프 요르단스(Jacob Jordaens, 1593-1678)'는 17세기 플랑드르 화가로 공현축일(公現祝日)과 관련된 그림을 여러 장 남겼다고 한다. 그런데 위의 그림에 대해 혹자는 당시 플랑드르 지역은 스페인의 식민 지배 및 흉작으로 만성적인 기아에 시달렸기에 작품 속에 표현된 푸짐한 음식과 즐겁고 건강하게만 보이는 사람들의 모습은 실제가 아닌 상상일 뿐이라고 주장하기도 하지만, 당시에는 먹거리를 장기간 보관하는 것이 불가능했기에 공현제를 포함한 일 년에 며칠 안되는 축제날에 잔뜩 먹고 취하도록 마셨다고도 한다. 그림 속 내용의 사실 여부야 어찌됐건 간에 그 시대 사람들이 지인들과 함께 축제날 먹고 마시며 즐거운 시간을 가졌던 것은 명백한 사실인 것 같다. 마치 참석자 모두가 'King for a day'라도 된 것처럼.

서론이 좀 길었는데, 이번 장에서 필자가 전하고자 하는 요점은, (이 책의 1권에서도 언급했듯이), 재테크는 기나긴 장기전이기에 '번-아웃(Burn-out)'에 빠지지 않기 위해서 가끔씩은 한번씩 한바탕 놀아주고 먹어줘야 한다는 것이다. 돈을 쓰지 않고 모으기만 하다 보면 어느새 통장 잔고는 그 어떤 의미도 없는 아라비아 숫자가 되어버리고 가슴 속에서는 "내가 무슨 천년만년 호사를 누리자고 이 짓거리를 하고 있나?"라는 강한 회의감이 들 수도 있기에. 따라서 아무리 열심히 돈을 모으더라도 한 달에 한번쯤은 전체 수입의 약 5~10%를 먹고 마시는 데 쓰시기 바란다. 혹은 자신의 노고를 치하할 구두, 지갑, 가방 등 선물을 사서 곱게 포장한 후 본인한테 하사하셔도 좋겠고. 이러한 기분 전환은 번-아웃을 극복하는 데 큰 도움이 됨은 물론 권태로운 생활 속에서도 삶에 큰 활력소가 될 것이라 확신한다. 음, 하지만 너무 무리해서 즐기다 보면 위 그림 왼편 하단에 보이는 사람처럼 추한 모습을 보일 수도 있으니 적당히만 하시길 바란다. 어디 오늘만 날이던가, 내일의 태양이 곧 우리 머리 위로 뜰 텐데...

네 번째. 돈이 반드시 행복을 보장하지는 않는다는 것을 명심하라!

17세기 유럽에서는 네덜란드를 중심으로 '바니타스(Vanitas) 정물화'가 크게 유행했었는데, '바니타스'의 뜻이 라틴어로는 '헛됨'이라는 것에서도 알 수 있듯이 이 그림들은 한마디로 '인생의 덧없음과 죽음'을 표현한 작품들이라 하겠다. 위의 그림은 '바니타스 정물화'의 대표작 중 하나인 '아드리안 반 위크레흐트(Adriaen van Utrecht)'가 그린 '바니타스 - 해골과 꽃다발이 있는 정물화'로서, 그림 아래쪽의 회중시계와 해골 옆의 모래시계는 점점 다가오는 죽음을, 활짝 핀 꽃과 시든 꽃은 청춘의 유한함을, 해골은 누구나 이르게 될 필연적인 죽음을, 그리고 담뱃대는 연기처럼 사라져가는 인생의 허무함을 의미한다고 한다. 이와 같이 바니타스 정물화에 등장하는 사물이나 소품은 인간의 유한한 생명과 필연적인 죽음을 상징하며, 세속적인 삶 속에서 소중하게 여겼던 모든 것들이 죽음 앞에서는 부질없다는 것을 나타낸다 하겠다.

죽음을 의식함으로써 한층 겸허하고 성실한 삶을 살고자 하는 태도는 17세기뿐만 아니라 그 이전부터 발견되는데, 일례로 15세기말 알렉산더 5세가 교황으로 즉위할 때 (즉위식) 행렬 주관자는 그에게 "오, 거룩한 베드로여, 세상의 영광은 어찌 이리 빨리 사라지는지 (Pater Sancte, sic transit gloria mundi)!"라고 하며 (교황) 권위의 상징인 지팡이를 건넸다고 하니. 즉, 모든 것이 사라지고 없어질 죽음을 생각함으로써 오늘을 겸손히 그리고 성실하게 사시라고 당부 드린 것. 또한 여러분들도 잘 아시는 '메멘토 모리(Memento Mori)'는 개선 행진을 벌이던 로마의 장군 뒤에서 "죽음을 기억하라!"며 줄기차게 소리치던 노예의 외침으로부터 기원했다. 영광의 절정에 있을 때 오히려 죽음을 생각하도록 한 이 로마의 풍습은 바니타스 정물화의 먼 정신적 뿌리라 하겠다.

앞서 언급했듯이, 옛분들께서는 사람들을 겁주고 위협하려고 '바니타스 정물화'를 그리고 '메멘토 모리'를 설파한 것이 아니다. 그들이 전하고자 하는 바의 핵심은 바로 '카르페 디엠(Carpe Diem)', 즉, 현재를 신실하게 잘 살고 이 순간을 즐기라고 일갈하는 것에 다름 아니다. 인간은 수많은 한계를 지닌 연약한 존재이며 지금 누리는 즐거움과 아름다움도 언젠가는 사라질 것이기에 바로 지금

주어진 삶의 시간을 소중하게 여기고 오직 자신의 끝없는 욕망을 채우기에 급급한 삶을 살지 말라는 것을 거듭 강조하고 있는 것이다.

이 책을 거의 마무리해 가는 단계에서 위의 그림과 함께 이러한 이야기를 꺼내는 이유는, 우리의 목표는 당연히 돈을 많이 버는 것이지만 그렇게 열심히 더욱 더 많은 물질을 추구하는 과정에서 혹시라도 우리에게 가장 중요한 그 무엇을 놓치거나 잊어버리고 있지 않은지 한 번 생각해 볼 것을 권하기 위함이다. 어느 유명 인사는 "인간은 돈을 위해 죽지 않는다. 위대한 이상을 위해 죽을 뿐이다"라는 말을 하기도 했지만, 거창하게 돈 대신 고상하고도 위대한 이상을 추구하지는 않더라도 돈에 어느 정도는 초연하게 살아야지 돈만 너무 밝힌다면 내가 정말로 원하는 그 무언가를 완전히 망각해 버릴 수도 있기에 한번씩 중간 점검을 해보시라는 것. 또한 돈은 인생의 궁극적인 목적이 될 수 없으며 자신이 하고 싶은 일을 하기 위한 수단 혹은 진정한 행복에 이르기 위한 방법에 지나지 않을 뿐이라는 메시지도 함께 전달하면서 말이다.

얼마 전 재산이 수천 억을 넘어 조 단위에 달하는 사업가가 스스로 목숨을 끊어 우리를 멘붕에 빠뜨린 적이 있었는데, 그의 죽음에 대해 명확히 밝혀진 바는 없지만 이는 단순히 많은 돈이 인간의 행복과 건강한 삶을 보장하지 않는다는 반증이 아니고 무엇이랴. 삶의 마지막을 의식하며 나에게 주어진 인생의 시간을 값지게 채워가라고 당부하는 '바니타스 정물화'에도 물질만을 위한 헛된 삶을 살지 말라는 지혜가 담겨 있는 것처럼, 이 기회를 빌어 내 삶의 의미와 가치에 대해서 깊이 들여다보게 되는 순간을 꼭(!) 가지시기 바랍니다 (필자 포함...).

다섯 번째. 그래도 한 번 사는 삶, 될 수 있는 한 많이 벌어 풍족하게 살아보자!

아래 그림은 오스트리아의 화가 '에곤 실레(Egon Schiele)'가 그린 '죽음의 고통 (1912년 작)'이라는 작품으로, 그의 특기인 온통 뒤틀린 듯한 왜곡된 신체 묘사, 독특한 구조의 배경, 선명한 색채 등이 유감없이 발휘된 명작이라 하겠다. 그런데 그림을 좀 더 자세히 들여다 보면, 오른편의 험상궂게 생긴 괴물(?)이 왼편의 남성에게 위협적으로 다가서자 그는 몸을 피하면서 가슴에 손을 모아 최대한 (괴물의) 공격을 막아내려고 한다. 마치 이 그림의 제목처럼 흉측한 모습을 한 죽음이 덮치려 하자 삶에 대한 애착 때문인지 아니면 죽음이라는 미지의 대상에 대한 공포 때문인지 인간은 이를 안간힘을 써서 밀쳐내려 하고 있으니.

작품의 제목이나 (공격을 피하려고 하는) 인간의 반응을 봤을 때 위 그림 속 괴물은 죽음임이 분명할 테지만

아마도 인간은 죽음이 아닌 가난에 대해서도 비슷한 반응을 보일 것 같다. 즉, '죽음'과 마찬가지로 '빈곤한 삶' 역시 두려움을 동반하기에 가난이 우리에게 다가오려 하면 몸을 피해 도망치려 할 것이라는 것. 또한 질병이나 고통, 멈춤, 소멸 등과 같이 우리에게 죽음을 떠올리게 하는 단어들 역시 가난과 밀접한 관련이 있다고 할 것이며, 질병에 걸려 몸이 아프면 일을 하지 못해 돈을 벌 수 없는 것은 고사하고 병원비와 약값으로 돈이 줄줄 새어 나갈 것이고, 이로 인해 촉발된 가난은 자신이 이루고자 하는 일을 실현 불가능한 상태로 만들어 인간에게 견딜 수 없는 심적 그리고 육체적인 고통을 안겨줄 것이다. 그리고 이처럼 자신의 꿈이 어느 순간 완전히 멈춰버리고 앞날에 대한 희망이 소멸되면 어떤 일이 발생하는가? 그렇다, 그런 상황이라면 인간은 완전한 절망의 나락으로 아주 깊게 추락해 버릴 것이다. 어느 누구의 말처럼 가난은 부끄러운 것이 아닐지는 몰라도 인간을 작고 초라하게 만들어 버릴 가능성이 아주 높다는 것. 결과적으로 (앞서 지적한 것처럼) 돈과 부에 너무 집착하는 것은 명백히 잘못된 것이고 이보다 훨씬 더 중요하면서도 고상한 인생의 의미를 추구해야겠지만, 궁핍은 인간을 삶을 피폐하게 만들 것이다.

자, 그럼 이제 분위기를 좀 바꿔서 인상주의의 대가인 르느와르가 그린 '뱃놀이에서의 점심(1881년 작)'을 들여다 보도록 하자. 그는 세느강 시아르 섬에 위치한 유명 레스토랑 '푸르네즈'의 테라스에서 배를 타러 온 사람들이 즐거운 시간을 보내고 있는 장면을 흥겹게 묘사했는데, 지금도 섬에 있는 유명 레스토랑에 가려면 적지 않은 돈과 마음의 여유가 필요하기에 당시 저러한 즐거움을 누린다는 것은 분명 굉장한 호사였을 것이다. 그래서 그런지 (그

림 속) 사람들의 밝은 표정과 식탁 위에 놓인 풍족한 음식에서 느긋한 삶의 즐거움이 한껏 느껴진다. 음, 죽음이나 가난을 피해 도망치는 장면을 그린 에곤 실레의 그림보다 세련된 붓놀림과 화려한 컬러로 장식된 이 작품은 정말로 언뜻 스쳐가듯 보기만 해도 정말로 기분이 좋아지지 않는가? 이 그림 역시 우리가 돈의 노예가 되지는 말아야겠지만 어느 정도의 부를 축적해야만이 삶의 즐거움을 누리고 살 수 있음을 여실히 보여 주고 있다고 하겠다.

아, 그리고 이제 드디어 마지막 그림이다. 그런데 이 작품, 어디선가 본 것 같지 않으신가? 그렇다, 바로 이 책의 표지이다 (^^). 이 그림의 제목은 '리코타 치즈를 맛있게 먹는 사람들'로서, 후기 르네상스시대인 16세기에 활약했던 '빈첸초 캄피(Vincenzo Campi)'의 작품이 되겠다. 이 그림 이전에도 음식을 주제로 한 그림은 있었지만 대부분 화면의 조형성에만 집중했다면 이 작품은 한마디로 음식, 즉 치즈를 허겁지겁 먹는 인물들과 그 행동에만 올곳이 집중하고 있으니. 혹자는 이 그림에 등장한 세 남자가 왼쪽에서부터 각각 인생의 청년기, 중년기, 노년기를 나타내며, 치즈를 입에 가득 넣고 오물거리면서도 스푼으로 치즈를 한껏 푸고 있는 남자는 청년기, 치즈를 먹기 위해 입을 벌리고 있는 남자는 많이 먹고는 싶으나 그렇게 하지 못하는 중년기, 치즈를 손으로 찔러보는 남자는 그 역시 많이 먹을 마음은 있으나 나이 때문에 많이 먹지 못하는 노년기를 나타낸다고 주장하며, 이들의 먹는 행위 역시 탐욕적이며 방탕해 보이기에 이렇게 쾌락만을 추구하는 대신 절제하라는 교훈을 전해주는 것이라고 덧붙이지만...아, 그

건 정말 너무 많이 나간 것 같고 꿈보다 해몽이 훨씬 더 좋은 것 같다. ^^.

오히려 필자의 생각에는, 이 그림은 절제 및 금욕이라는 교훈과는 전혀 상관없이 인생의 맛이란 바로 이런 것이다라고 알려주고 있는 듯 하다. 즉, 편한 지인들과 좀 비위생적이긴 하지만 손가락으로 혹은 숟가락 한 개를 돌려가며 맛있는 치즈를 즐겁게 흠뻑 파먹는 것, 바로 그것이 인생의 참맛이라고 말이다. 또한 행복에 겨워 음식을 즐기는 이들의 모습은 필자에게 역사상 가장 오래된 이야기 중 하나인 '길가메시(Gilgamesh)' 서사시의 한 장면을 떠올리게 하는데, 영원한 생명을 찾아 헤매는 '길가메시'에게 선술집 주인 '시두리(Siduri)'는 이렇게 말한다. "신이 인간을 창조했을 때, 인간에게 죽음을 주었다...그러니 배불리 먹고 즐겨라." 그리고는 "네 배를 채워라, 즐겨라, 낮에도 밤에도! 하루하루를 즐겁게 보내라, 춤추고 놀아라, 낮에도 밤에도! 물에 들어가 목욕하고, 네 머리를 씻고 깨끗한 옷을 입어라~"라며 덧붙인다. 그렇다면 그러기 위해서 우리에게 필요한 것은 무엇일까? 그렇다, 바로 돈이다! 인생의 참맛을 느끼기 위해서 우리에겐 돈이 필요하다! 음, 너무 직설적이라 거부감이 느껴지신다고? 그렇다면 여러분의 정신 건강을 위해서 앞서 등장했던 철학자 (쇼펜하우어)의 한 마디로 이 책을 마무리해 보련다. "Poverty and slavery are thus only two forms of the same thing, the essence of which is that a man's energies are expended for the most part not on his own behalf but on that of others (빈곤과 노예는 같은 사물의 두 가지 모습이다. 이 두 가지 상태 하에서는 자신의 에너지를 자기를 위해 쓰지 못하고 타인을 위해 사용해야만 하기에). 자, 어떠신가, 자기가 삶의 주인이 되기 위해서는 반드시 돈이 필요한 거라는 말씀, 이 하나만 앞으로 꼭 명심하시기 바란다. 끝.

Disclaimer

1. 본 서적은 투자와 관련된 정보를 담고 있으나 시점과 상황에 따라 그 정확성에 차이가 날 수 있습니다.

2. 실질적인 투자나 그 투자로 인한 손실은 모두 직접적인 투자관련 판단을 한 투자 주체에게 귀속됩니다.

3. 어떠한 경우에도 본 서적은 주식을 포함한 투자의 법적 자료의 증빙자료로 사용될 수 없음을 밝힙니다.

4. 본 서적은 일반적인 재테크와 관련된 내용을 담고 있을뿐 특정 종목 혹은 주식 투자에 대한 투자 권유를 하지 않았습니다.

참고 서적

'무서운 그림 1/2/3', 나카노 교코 지음, 세미콜론(2008년)

'부의 미술관', 니시오카 후미히코 지음, 사람과 나무 사이(2021년)

'미학스캔들', 진중권 지음, 천년의 상상(2019년)

조선일보 2020.4.28. 우정아의 아트 스토리, '역사상 최초의 투기 사건 일으킨 렘브란트 튤립'

'욕망의 명화', 나카노 교코 지음, 북라이프(2020년)

'운명의 그림', 나카노 교코 지음, 세미콜론(2020년)

'내 생애 마지막 그림', 나카노 교코 지음, 다산초당(2016년)

조선일보 2018.10.2. 우정아의 아트 스토리, '고기 더미 뒤편의 아기 예수'

조선일보 2015.12.12. 우정아의 아트 스토리, '시간은 세 얼굴을 가지고 있다네'

'미술관 옆 카페에서 읽는 인상주의', 나카노 교코 지음, 이봄

(2015년)

중앙일보 2006.3.9. 조급증이 '개미필패' 부른다

'남에게 가르쳐주기 싫은 주식 투자법', 브라운스톤 지음, 오픈마인드(2006년)

'문학이 필요한 순간', 정여울 지음, 한겨레출판(2023년)

헬스조선 2015.11.12, 반신욕, '시간'과 '온도'지키면서 해야 효과적

헬스인뉴스 2023.09.27, 의사들은 왜 '맨발걷기'를 반대할까?

'뒷모습', 이연식 지음, 이봄(2018년)

'응답하지 않는 세상을 만나면 멜랑콜리', 이연식 지음, 이봄 출판사(2013년)

파이낸셜리뷰 2022.8.22. 역사속 경제리뷰 '밀레 이삭줍는 여인들'

중앙일보 2014.6.21, 책 속으로 밀레의 '이삭줍기'는 불온?

중앙선데이 2010.7.4, 밀레의 '이삭 줍는 여인들' 빈부격차 고발 논란

매거진한경 2013.3.19, '피터르 브뤼헐, 바벨탑 통해 파멸로 치닫는 사회 혼란 그려내'

한국일보 2019.10.5, 명화를 보다, 경제를 읽다

'주식은 멘탈이다', 나가타 준지 지음, 지상사(2023년)

'윤제성의 월가의 투자', 윤제성 지음, 한국경제신문(2023년)

'소곤소곤 러시아 그림 이야기', 김희은 지음, 소네스트 (2017년)

'모지스 할머니, 평범한 삶의 행복을 그리다'. 이소영 지음, 홍익출판사(2016년)

'죽음을 그린 화가들, 순간 속 영원을 담다', 박인조 지음,지식의숲(2020년)

경향신문 2013.6.10, 유경희의 아트살롱

주간동아 2009.9.30, 왕상한의 '왕성한 책읽기'

매일경제신문 2023.11.17, 허연의 책과 지성

'쇼펜하우어, 돌이 별이 되는 철학', 이동용 지음, 동녘출판사

(2014년)

조선일보 2021.12.27, 최영미의 어떤 시

https://jsksoft.tistory.com/11594

http://kcm.co.kr/bible/kor/Gen11.html

http://topclass.chosun.com/news/articleView.html?idxno=1471

http://www.dentalnews.or.kr/mobile/article.html?no=38144

https://www.yeongnam.com/web/view.php?key=20140621.010160810270001

https://ppss.kr/archives/241776

https://www.sedaily.com/NewsView/29PI0AMXD5

https://www.busan.com/view/busan/view.php?code=20120508000037

https://www.voakorea.com/a/4398202.html

https://www.donga.com/news/Culture/article/all/20231201/12243

2301/1

https://www.hani.co.kr/arti/culture/book/169150.html

http://www.mdjournal.kr/news/articleView.html?idxno=28240

https://m.khan.co.kr/opinion/column/article/201309092150365#c2

b

https://www.hani.co.kr/arti/PRINT/330293.html